JN092627

アパレルに
未来はある

川島蓉子

日経BP

はじめに

　ここ数年、アパレル（衣服）業界について、さまざまなところで取り上げられるようになった。ポジティブなものよりネガティブなものが多く、国内に限らず欧米やアジアも同じ状況に置かれている。

　米国の老舗百貨店「ニーマン・マーカス」やセレクトショップ「バーニーズ・ニューヨーク」、由緒あるブランド「ブルックス・ブラザーズ」、ファストファッションの雄である「フォーエバー21」などが倒産したというニュースは、業界で衝撃的に受け止められた。欧米をはじめ、アジアも含めた世界のファッション業界が、ターニングポイントを迎えている。

　日本における百貨店やファッションビルの不振も、この文脈と軌を一にするものだ。既存のシステムが時代とずれていることに気づきながら、まだしばらくは成立するという甘えがあった。それがコロナ禍で一気に現象化し、対処せざるを得なくなったというのが実態に近い。

　では、時代とずれてしまったファッション業界の既存システムとは何なのか。たとえば大量生産・大量消費を前提に、半年ごとのサイクルで新しい商品を投下すること。トレンドを付加価値とし、ブランド名を付した高額な商品を売ること。店頭に出て数カ月でセールという名のもとに値下げされることなど。こういったアパレル業界の慣行は恒常的に利益を確保できることから、ビジネスとして推進されてきた。そしていつの間にか、顧客のニーズを逸脱し、より多くの利益を求めて過剰化へと進んでいった。時代とのズレは、そのあたりに一因がある。

これはアパレル業界に限った話ではない。化粧品、食品、飲料、家電、インテリア、クルマといった産業も、こうしたシステムを部分的に取り入れてきたのである。目まぐるしく新商品が発売される飲料や食品、半年ごとに売り場が替わるメイク商品、同様のスペックなのに定期的にモデルチェンジする家電などがそれに相当する。アパレル業界が直面している課題は、他の業界にとっても人ごとではない。

ただ、ネガティブな話ばかりではない。そもそもファッションとは、時代の最も先鋭的な動きをとらえ、ビジネスにしてきた領域。その先見性と強い意志をもって、新しいことに挑んでいる、いわば「変革者」と言えるブランドや企業もある。そこには、業界の常識にとらわれることなく、偏愛とも言える強い愛情を携え、果敢に新しい道を切り開いている人がいる。強烈な「好き」が周囲を突き動かし、新しい渦を起こし、これからをつくっていくのだと思う。

本書では、アパレル業界の既存システムが持っている「壁」について、何が問題となって今に至っているのか、どうしたら前に進めるのかについて、具体的な企業やブランドの動きを含めて考察していく。

同時に、ユニークな変革者について、何をきっかけに変革を目指したのか、どういう経緯で今に至っているのかを取材してまとめた。「社会に役立つこと」と「自分の好き」をつなげ、前に進もうとする強烈なパワーには、明るい希望が宿っている。

ファッションには機能性や合理性だけでなく、気分や感覚を豊かにしてくれる力がある。アパレル業界は、そういう矜持(きょうじ)をもって前に進んでほしい——。

40年弱にわたって業界内外を見てきた立ち位置から、そんな思いを抱いて本書をつづりました。読んでくださった方のお役に少しでも立てれば幸いです。

目次

後編　アパレルに未来はある！　ファッション業界の変革者たち

五輪開会式のMISIAの衣装を作った

何度も通って実現した「ファミリア」とのコラボ
手応えが自信につながり、それがエネルギーに

大丸松坂屋百貨店が「高級ファッションサブスク」を始めた理由

田端竜也　大丸松坂屋百貨店　アナザーアドレス事業責任者

「ハマったら突き詰める」性格がファッションに向かう
新規事業開発プロジェクトからシリコンバレーへ
最初は通らなかったサブスクビジネスの提案
百貨店ビジネスとサブスクビジネスは高め合える存在に
ブランドとの交渉で効いた百貨店という信用
着ていきたい場が想定されている
ファッションの楽しさをもっと多くの人に

カバー画像／Getty Images

アパレル業界の未来を左右する「6つの壁」

コロナ禍で苦境に立たされているとされるアパレル業界だが、実は時代とずれていることに気づきながら放置してきた問題が一気に表出しただけではないか。この「6つの壁」を越えた先に、未来があるはずだ。

1 「サイクル」の壁

アパレル業界には、半年を1単位としたサイクルがある。「春夏コレクション」「秋冬コレクション」とよくうたわれるのは、このサイクルに根ざしたものだ。新商品の発表が半年ごとに行われるサイクルが、業界の中に組み込まれている。

ここ数年、このサイクルの是非についての議論が、業界内にとどまらず、消費者の間でも、かまびすしく行われるようになってきた。「半年ごとに新しい商品を送り出す意味があるのか」「半年で服を着倒して廃棄するわけではない」「もっと長いサイクルにしてもいいのではないか」といったものだ。

疑問の声が上がることで、業界の中でもサイクルを変えようとする動きが始まっている。必ずしも半年ワンサイクルではない方法を模索し始めており、それが消費者の賛同を得るようにもなっている。

アパレル業界の常識として受け入れられてきた半年ワンサイクルというシステムが、世の中の常識ではなくなってきた。もともと必要なものとして生まれ、活用されてきたシステムが、大きな時代の流れの中で必要とされなくなってきた。あるいは形を変えなくてはならなくなってきた。踏み込んで言えば、それにうすうす気づいていたのに放置してきた。だから壁となって立ちはだかっている。アパレル業界が続けてきた半年ワンサイクルは、ありようを変えなければならない時期にあると言っていいだろう。

季節に合わせた年2回のコレクション発表

半年ワンサイクルのルーツはどこにあるのか。根元的なところでは、衣服がそもそも寒暖の調節という機能と結びつき、季節によって形を変えてきた役割にある。冬は温かくするために長袖で厚い素材を、夏は涼しくするためにノースリーブで薄い素材といった具合で、季節によって形を変えてきたのだ。

一方で、服は着る人の権威を象徴する存在でもあり、自己表現の手段でもあった。たとえば民族の中で首長などの役割を示す存在として、服やアクセサリーは機能してきた。あるいは、王族や貴族などは、贅(ぜい)を尽くした衣装を身に着けることで、自身の権力を示していた。身体に直接まとうものとして、他者に向けての自己表現の役割を果たしてきたのである。

そういった事柄が、ファッションの本場パリで、19世紀のはじめに「オートクチュール（高級注文服）」として広がった背景にある。

それまでは一人ひとりの顧客の要望に合わせ、デザイナーがデザインから仕立てるところまで個別に行うものだった。だが、オートクチュールはそれを一歩進めた。デザイナーが創作したスタイルを、モデルが練り歩いて顧客に見せる。その中から顧客は好みのスタイルを選び、自分の体形に合わせて仕立ててもらう。それまで一人ひとりに対応していた手間ひまの部分を、ある程度まとまって行うことで生産の効率化を図り、相応の利益を得るシステムでもあった。

そして顧客は、人気のあるデザイナーのオートクチュールをまとうことで、地位や財力、センスを示したのである。その後、オートクチュールは組合となり、年2回のコレクションショーがスケジュール化されるとともに、新聞や雑誌などマスコミに向けてのPRを、国内外で行うようになった。

第2次世界大戦後、工業化が進んで既製服が広がる中、1959年にピエール・カルダンが「プレタポルテ（高級既製服）」のコレクションを発表した。注文による仕立て服ではなく、量産できる既製服をプレタポルテとして発表したのである。

オートクチュールに比べてリーズナブルな価格で、多くの人が手に入れることができる。時代に即した合理的なシステムとして、イヴ・サンローランをはじめとする若手ファッションデザイナーが参入するようになり、プレタポルテについても年2回、コレクションを発表するシステムができていった。こういった一連の流れが、アパレル業界の半年ワンサイクルの土台になっている。

業界全体として回してきた半年サイクル

では、半年ワンサイクルの中身はどのようになっているのか。

店頭に並ぶ約1年半前にトレンドセッターがトレンド情報を発信する。それに基づいて糸や布のメーカーはものづくりを行い、約1年前に布の展示会が行われる。デザイナーがこれらの布を服にし、約半年前にコレクションショー（パリコレクション、ミラノコレクション、ニューヨークコレクションなど）で発表する。その情報をジャーナリストがメディアを通じて報道する。

こういった一連の過程を経て、「春夏コレクション」「秋冬コレクション」と銘打って数々の服が店頭に並ぶのだ。業界全体として1つのサイクルを回転させることで、企画から生産、販売までがつながり、それぞれが利益を獲得できるシステムでもあった。

しかしそれが、70年代からの成長と拡大、その中における過剰とも言える競争を続けていく中、一部で加速化・過剰化していったのである。

ラグジュアリーブランドの中には、春夏と秋冬の年2回のコレクションに加え、春夏コレクションに先立って行う「プレコレクション」、セレブリティーのリゾート需要を見込んだ「クルーズコレクション」を展開するところが出てきて、コレクションの数が増え、サイクルが短くなっていった。年に3、4回、新作をコレクションショーという形で発表しなければならないファッションデザイナーの負荷が高いことについて、疑問視する声も上がっていたのである。

世界に名をはせている大手アパレル企業も同様だ。効率優先で利益拡大を図る中、サイクルを回す規模を極大化する、あるいはサイクルそのものを短縮化するなど、グローバル規模の戦略が推し進められていった。短サイクルを回し続けることで、利益を追求するビジネスへと傾いていったのだ。

特に2000年代に入ってから、スペイン発の「ザラ」、スウェーデン発の「H&M」、日本発の「ユニクロ」、米国発の「ギャップ」などに代表されるファストファッションが躍進することで、この動きに拍車がかかった。

推し進められてきたサイクルの短縮化

具体的には、糸や布、資材の調達から、縫製して服に仕立てるまで、安価な労働力で作れる国を世界各国から探す。大量生産によってコスト低減を図り、価格を抑え、世界規模で販売する。いわゆる大量生産・大量消費のビジネスモデルが、過剰とも言えるレベルで突き詰められた。

サイクルの短縮化が進み、綿密な商品計画が組まれ、それに基づいた生産や物流計画、店頭に並べるVMD（ビジュアルマーチャンダイジング。視覚に訴える展示）計画に沿って、店頭の展示を週単位で替えていく。一連のマーケティング戦略を展開しながら、シェア拡大を図っていったのだ。

そして規模やレベルは違うものの、日本のアパレル企業が目指した方向も、これと軌を一にしていた。半年ワンサイクルを前提にしながら、商品の企画、生産、物流を含め、週単位で店頭の展示を替えるシステムに移行していったのだ。

流通過程が長く複雑なのが、日本のアパレル業界の特徴でもある。ゆえにこのシステムは、1社で完結するものではなく、工場をはじめ複数の企画会社や卸売り、商社などが絡んでいて、それらが一体となって回している。百貨店やファッションビルに並んでいるアパレルブランドの大半は、こういう背景を持ち、短サイクルで商品を回転させてきた。

だが、リーマン・ショック、東日本大震災、コロナ禍を経て、今まで続けてきた短サイクルビジネスが、必ずしも通用しなくなってきた。売り上げの前年割れが続き、店頭の動きが落ちてきたのだ。

ファッションデザイナーのジョルジオ・アルマーニは、20年4月というコロナ禍の初期の段階でメッセージを発信している。「この未曽有の危機の中、ファッション業界も難局に直面しているが、これを乗り越えるには慎重に考えて賢くスローダウンするしかないだろう。ファッション業界のスケジュールが、現在のように目まぐるしくなったのは、ラグジュアリーブランドがファストファッションと同様の手法を取り入れたからだ。ラグジュアリーとは手間と時間がかかるものであり、大切に愛されるべきものだということを忘れて、ファストファッションのように途切れなく商品を供給することでより多くの売り上げを得ようとしてしまった」(「WWDJAPAN.com」より)。

業界一律のサイクルが見直しを迫られている

業界が一斉に同じサイクルで動いていく、そういうビジネスが転機を迎えていることは明らかだ。これはまた、コロナ禍によって引き起こされたものでもない。以前から問題視されてきたのだが、次に打つべき手が見えなかったというのが正直なところ。あるアパレルの経営陣から「コロナ禍を契機にものづくりのサイクルそのものを見直そうと取りかかった。ところが、川上から川下までの関係業者の調整、社内組織の見直しも含め、大がかりな策を講じなければならない。予想以上に難題で苦しんでいるし、事が思うように運ばない」と聞いたことが強く印象に残っている。

コロナ禍の前はインバウンド消費が支えていた面もあったのだが、それもなくなり、売り上げの低迷が続いている。いよいよ業界全体で回してきた半年ワンサイクルという車輪を、次の時代に向けて変えなければならないということだ。

しかもサイクルの話は、アパレルに限ったことではない。たとえば化粧品の業界も同様なのだ。特にメイクアップは、半年ごとに新色や新商品が発表される。飲料の世界でも、次々と新商品が投下され、商品サイクルは短くなっている。家電の領域でも、定期的にモデルチェンジが行われて新商品が投下される。

サイクルの長短はあるにせよ、新しい商品を打ち出すサイクルを持つことで需要を喚起して売り上げを確保するという構図は、多くの業界が取り入れてきたシステムでもある。サイクル問題は、アパレル業界だけの課題として片づけるわけにいかないのだ。

ファッションにサイクルはいらないのか

一方、受け手である消費者は、アパレルのサイクルをどうとらえているのか。季節によって服を替えるが、シーズンごとに新しい服をそろえるわけではない。前のシーズンのものを捨てるわけでもない。

トレンドだからといって、新しい商品を手に入れることに価値を感じなくなっているし、サーキュラーエコノミー（循環経済）的な考えが広がる中、短期で使い捨てにする消費ではなく、長きにわたって愛用する消費へと、人々の意識は変わってきていた。

もちろん一部には、ファッションが好きで短サイクルのトレンドを取り入れることを楽しんでいる層もいる。だが、それが多数派ではなくなってきたのだ。

ただ、ファッションにサイクルはいらないかというと、そうではない。ちまたでは「服は機能的で便利なものを、必要最低限持っていればいい。買い替えとしての需要はあるものの、それ以外はほぼなくなっていく」といったファッション無用論的な意見も耳にする。服はコモディティー化していくという話なのだが、本当にそうだろうか。

確かに、高い品質と機能性を備えた服がそこそこの価格で手に入る。リモートワークが増えたこともあり、全身を他人に見られる機会が減り、かっちりした仕事着というより、少しカジュアルな服装で仕事するようになった。また、パーティーや会食といった華やかな場が減り、改まった気分で着飾って出かける機会もなくなった。コロナ禍で家の中の整理整頓をしてみたら、タンス在庫が十分にあるから、新しい服を買わずに済む。そういう人が少なくないのは事実だ。

ただ、身に着ける服全てが必要最低限かつ便利であればいいという価値軸に移行していくわけではない。そこには、大きく2つの理由があるのではないかととらえている。

一つは、暮らしの中で使うものは、何らかの形で感情や気分と結びついているということだ。長年にわたって使っているものに愛着が湧くこともあれば、新しいものを取り入れることで新鮮な気分になることもある。袖を通すことで、さわやかな心地やシャキッとした感情になる。そういう役割を、服はどこかで担っている。だから、定番的に同じ服を着続けることにはならない。短サイクルである必要がなくても、いわゆる定番だけになることもないだろう。

もう一つは、時代の大きな流れとファッションはリンクしているということだ。社会の移り変わりをファッションはある意味で象徴してきたし、その役割をこれからも担っていく。

1960年代を席巻したミニスカート、70年代に広まったジーンズ、80年代のボディコンなどは、そういった事例の一つ。あるいは、メンズスーツの変遷をたどってみると、

80年代のゆったりしたダブルブレストのソフトスーツ、90年代の三つボタンで少しタイトなスーツ、21世紀に入ってからの上下とも身体にピッタリした細身のスーツ、そして昨今のソフトでカジュアルなスーツなど、服は社会の変化と結びついている。

サイクルは多様化する方向へ

それでは、これからのサイクルはどのようになっていくのか。業界全体が一律で半年ワンサイクルを踏襲するのではなく、多様なサイクルが出てくるのではないか。今までのように護送船団方式で「半年ワンサイクルにのっておけば大丈夫」という考えは通用しなくなってくる。

つまり、あるブランドは定番的に長きにわたって同じ商品を展開していく。あるブランドは1カ月ごとに数点の新商品を投下する。あるブランドは、週単位で商品を変えていく。それぞれのブランドの独自性に沿ったサイクルを回していくようになるのではないか。そして、賛同する顧客がそれぞれに付いていく。そういう構図になっていくのだと思う。

現に規模が小さいながら、シーズンを越え、長きにわたって売っているブランド、EC（電子商取引）をベースに毎月数点の新商品を発表しているブランドなどが出てきていて、それぞれ顧客が付いて、ビジネスとして成功もしている。つまり、個々のブランドにとっての最適なサイクルを見極め、それを実行していくということだ。

ただ、大企業がこういう方向に舵(かじ)を切るのは、そう簡単な話ではない。生産から販売まで、複雑で長い経路を持っているのがアパレル業界であり、そこに多くの企業が絡んでビジネスを営んでいる事実を置き去りにできないからだ。

「未来に向かって変わっていくこと、変えなければならないこと」を前提に、自社のゴールを決めて前に踏み出すことが大事だと思う。それは、従来のサイクルに縛られない新ブランドを立ち上げてみることかもしれないし、今のブランドの一部をそういう商品にしてみることかもしれない。まずは、試みを実践に移すことにある。

それはまた、大量で均質なものから、定量で異質なものへ、そしてそれらが共存する場へ。本来的な意味での多様性を持った業界へ変わっていくことを意味している。

2 「セール」の壁

2021年夏のアパレルのセールは、さまざまな方法でなされた。値段を徐々に下げていって、最後はたたき売りに近い形でやったところ、あくまで50%オフに徹して終えたところ、ほぼセールをしないところなど。時期についても、以前は業界を挙げて一斉に行っていたものがそうではなかった。セールのあり方が多様化したと言っていいのかもしれない。

20年夏は、コロナ禍による緊急事態宣言によって店を閉めざるを得なかったという事情もあり、セールは長期間に及んだ。未曽有の事態に際し、目の前のことに対応するのが精いっぱいであり、在庫を少しでも減らして売り切らねばという思いが透けて見えた。

だが、21年は少し様相が違った。長期化しているコロナ禍を前提に、自社のこれからの方針を定め、それを具体的な戦略に落とし込んでいる企業と、そうでない企業とに分かれたのだ。どこも一律ではなく、期間や方法が多様化し始めている。

これが正解というものがあるわけではないが、従来のやり方は行き詰まりを見せていた。その壁を乗り越えようという動きが始まっている。

アパレル業界特有のセールの仕組み

アパレルは、半年をワンサイクルとした生産と物流のシステムが業界の中に組み込まれている。これが意味するのは、半年ごとに商品を入れ替えるということ。売れ残りはセールで値下げし、売り切らなければならない。

18年、「バーバリー」が大量の売れ残りを焼却して処分したことが報じられ、各所で大きな議論を巻き起こした。業界内で暗黙の了解だったものが広く知られるところとなり、ブランドとしての、ひいては業界としてのモラルを厳しく問われたのである。相応の値段を付けて売られている価値あるものを、自ら焼却してしまう――企業が無駄なものを作って廃棄することに対し、消費者は敏感になっている。

「バーバリー」は即刻、「今後は売れ残りの廃棄を行わない」と声明を出したが、ブランドイメージや企業姿勢を傷つけてしまったのは事実だし、業界はこれを自分ごととして受け止めた。

アパレル業界のセールのやり方を、ここで大ざっぱに見ておく。まず正価で売れ残った商品は、店頭で値引きする。割引率はバラバラで、20％オフもあれば80％オフもある。それでも売れ残ったものは、そのブランドのファンに向け、別会場を設けてファミリーセールを行う。ラグジュアリーブランドをはじめ、百貨店が上顧客を対象に「特選セール」などと冠し、ホテルやホールで行っているのはこれにあたる。割引率は定まっていないものの、店頭セールより高い比率のことが多い。それでも売れ残ったものは、ブランドのラベルを取り除いて専門業者に引き取ってもらう。あるいは何らかの廃棄処理を行う。そういう手順が取られてきた。

また、売れ残りを販売するチャネルとして「アウトレットモール」の存在も大きい。もともとアウトレットは、工場や倉庫の一角で、キズものや時期遅れのものを直販する場を「ファクトリーアウトレット」と呼んでいたのに由来する。

それが1980年代の不況下の米国で、売れ残りを抱えていた有名ブランドが、キズものや売れ残りを売る場として、1ブランドではなくショッピングセンターのような集合体のアウトレットモールを始めたのである。高額で手が届きにくい商品が、多少の不都合があって安くなっているのだから、消費者にとってのメリットはある。

郊外の巨大な敷地の中に、ブランドのショップが軒を連ねている。アパレルだけでなく食器や家具などのブランドも含まれ、随所にカフェや飲食店もあり、ゆったりとショッピングを楽しめるということで人気業態となっていった。

日本にアウトレットモールが上陸したのは90年代半ばであり、各地に登場して話題を呼んだ。同時に、ラグジュアリーブランドを主体としているところ、セレクトショップも含めてバラエティー豊かなブランドを集積しているところなど、さまざまなタイプが出てきている。

出店する側にとっては売れ残りを常設で販売できる場であり、消費者にとってはブランドの値下げ品が1カ所に集まっていて、ちょっとしたレジャー感覚で楽しめる場となっている。双方の利点が合致するチャネルとして、広く受け入れられていったのである。

前倒しになっていったセール

値下げして売り切るという行為は、アパレルに限った話ではない。これはそもそも、食品の値下げに近い感覚で始まったもの。賞味期限が近いものを値下げする感覚で、春夏コレクション、秋冬コレクションというシーズンが終わった服を、旬の時期を過ぎたものとして値下げしてきたのである。「バーゲン」「セール」と銘打ったお祭り的なイベントにし、集客を図ってきた。

リーマン・ショックあたりまでは、セールが担ってきたこういう役割はそれなりに機能していた。たとえば、正月のバーゲン福袋を目当てに、開始日の早朝から、場所によっては前日から買い物客が行列をなし、売り場に走って目当てのブランドの商品を手に入れる。そんなニュースが毎年のように流れた時期もあった。セールが持っているお得感と人が集まるエネルギーを、企業も消費者もそれなりに楽しんでいたのである。

ところが、それまでのように服が売れなくなってきた。アパレル企業は、何とか売上げの前年超えを達成するため、セール時期を前倒しするようになっていった。購入してすぐに着られるものを値下げすれば、顧客にとってメリットが大きい。売り上げを確保できるに違いないという意図が含まれていた。

このあたりから、セールがシーズン終わりの商品を安くするという、そもそもの目的からずれていったのだ。春夏ものは盆明けから、秋冬ものは2月に入ってから行われていたセールが、最近では春夏ものは6月下旬から、秋冬ものは正月の初売りからと、明らかに時期が早まっている。

セール専用の商品作りをやめる

セールの前倒しによって、企業の「正価で売り切る」という覚悟と意志が薄まっているところがあった。店頭に出してから間を置かずにセールに入るわけだから、極端に言えば、正価で無理やり売らなくても、セールでそれなりの売り上げを取ればいいという方向に流れかねない。

ただ全体の売り上げは伸びても、値下げによって利益率を下げているのだから、利益は減っていく。中長期的に見れば、ビジネスが行き詰まっていくのは目に見えていた。だが、あしき文化として続けられてきたのである。原点に戻り、そこを変えていくことが健全なビジネスと言えるのだ。

一方で、セール専用商品を作り、正規のセール商品と一緒に売る行為が続けられている。セール専用商品ということは、値下げされた価格を前提に作ったもの。それを分かったうえで売ってきた。セールによる売り上げアップを見込んでのことだ。

アウトレットについても、専用商品を作っているブランドは少なくない。最初からアウトレットで売ることを目的にしているのだ。もちろんショップでは、本当に正価から下げたものと専用商品として作ったものが区分けされているわけではない。

これらは、ビジネスとしての誠実さという意味で疑問が残る。短期的にはそれなりの売り上げが確保できるかもしれないが、長い目で見たときに、ブランドや企業の姿勢が問われることになりかねないのだ。

では、なぜやめられないのか。業界が足並みをそろえて続けてきた半年ワンサイクルから逸脱せず、とりあえず様子見をしながら対策を講じていくという考えだろう。時代の転換期においては、新しいことに挑戦する少数派と従来路線を守りたい多数派が存在する。その分かれ目にいると言っていいかもしれない。そんな中、時代の風に敏感な企業は、セールやアウトレット専用商品をやめる方向で動きだしている。

消費者は安ければうれしいわけではない

一方、消費者から見てセールが早まることはどのような意味を持つのか。シーズン真っ最中の服が安くなるわけだから、お得感はある。しかし、これを食品になぞらえると、夕方から安売りするのではなく、昼間から安売りするのに近い。なぜこんなに早く値段を下げるのかと疑問を抱くのも当然のことだ。

アパレルに限らず、消費者は暮らしを取り巻くさまざまなものについて、大量に作ったものが売れ残って廃棄されることが、地球環境や社会の持続可能性を妨げることにつながると懸念している。セールがなぜ行われているのか、どうして今のような形態を取っているのか、そこを明らかにしてほしいということだ。

ここ数年、「その商品がいつ、どこで、どのような経緯で作られたのか」というトレーサビリティーへの関心が高まっている。安ければうれしいわけではなく、どうして安くなるのかに関心を持ち、それが納得できるストーリーなのかどうかが、ものを選ぶ基準の一つになっているのだ。

また、セール時期を早めることは、アパレル業界の首を締めることにもつながった。正価で買うのではなく、セールを待って買う人が増えていったのだ。同じ商品が少しの時間差で安くなるのだから、待って手に入れようという消費者心理は理解できる。

こうやってみると、セールを前倒しすることは、送り手である企業にとっても、受け手である消費者にとっても、必ずしもメリットでないことが分かる。時代の大きな趨勢の中で、そもそもの文脈とずれていった経緯に鑑み、これからのあり方を考え直さなければならない。

セールありきのビジネスを見直す

ただ、セールそのものをあしき慣習として廃止すべきだという話でもない。アパレル産業全体について、全てのものを受注生産にし、必要な数量だけ作って売り切るという仕組みへと、一気に変えられるものではないからだ。まずは、少しでも売れ残りを減らす方向で、どこから取り掛かるのか、取り掛かれるのか。それぞれの企業が方針を持ち、少しずつ実施していくのが現実的だ。

実際、売れ残りを減らそうとする試みは、そこここで行われている。過去のビッグデータをＡＩ（人工知能）に読み込ませたうえで、商品の生産量を決める。確実に売れる数量をまずは工場に発注し、後は展示会での注文数に応じて追加する。コストを少しでも抑えるために途上国で大量生産をするのではなく、コストが多少増えても国内に自社工場を構え、適量生産に切り替えるといった動きが始まっている。

また、規模がそう大きくない新興企業の中には、ネットで新商品を発表し、あらかじめオーダーを取ったうえで生産するブランドが出てきており、確実にファンをつかんでいる。売れ残りをコストに組み込む必要がないし、店舗や販売員、ＰＲにかけるコストがいらない。そのぶん、価格をリーズナブルにすることができるのだ。そして、こういうビジネスの考え方に共感し、顧客となる人も少なくないのである。

セールそのものが持っているエンターテインメント性の価値もあると思う。閉店間際のデパ地下や、師走のアメ横の楽しさは、安売りという旗印のもと、店の人が積極的に声をかけ、売り場を巡る買い物客と一体となって、独特のエネルギーを生み出すところにある。

「本来のセールには、普段お世話になっている顧客の方々へ、感謝の気持ちを込めてお返しする意図も含まれている」と、あるアパレル企業の社長が口にするのを聞き、セールの意味がここにもあると思った。ただ、そういう意図が明快に表現されているかというと、そうでもない。「安くなっているから」「お買い得」というビラと店員の呼びかけによって、あふれるようなセール商品がぞんざいに扱われているショップを見かけることもあるからだ。その意味では、セール本来の意図を伝えていくことも重要だ。

セールという「壁」について語るとき、大事にしなければならないのは、できるだけ適正量を生産して売り切ること。そこに近づけるために知恵と努力を注がなければならないということだ。

従来の延長線上で、そこそこの流行を盛り込んだ服を大量に生産し、売れ残ったらセールあるいはアウトレットなどに流せば何とかなるという時代ではなくなっている。まずは適正量を正価で売るために知恵を絞り、それでも売れ残ったものについては廃棄するのではなく、セールという場があってもいい。それくらいの覚悟を持っていいと思う。

アパレル業界は、セールについて旧態依然とした業界の枠組みを変えていく転換期にある。まずは「消費者は必ずしもセールを喜ばない」「セールありきのビジネスのありようを根本的に見直す」といったところから、前に進む道が開けていくのだと思う。

3

「ブランド」の壁

「ニーマン・マーカス」「バーニーズ・ニューヨーク」「ブルックス・ブラザーズ」といった米国老舗ブランドの倒産が報道され、驚きとともに受け止められたのは記憶に新しい。老舗ブランドだから、知名度が高いブランドだから安泰という時代ではなくなっている。

一方、コロナ禍にあっても、ラグジュアリーブランドの数々は強さを発揮している。「ルイ・ヴィトン」「クリスチャン・ディオール」を傘下に持つＬＶＭＨモエヘネシー・ルイヴィトンをはじめ、「エルメス」もコロナ以前の業績を超える好調ぶりを示した。また、「バーバリー」は服の廃棄処分の報道を経て一時的にイメージを落としたものの、２０２１年度に入ってから好業績を上げている。生き続けていくブランドと、そうでないブランドとの間に、いったいどんな壁があるのだろうか。

アパレルに限らず、ブランドは今やあらゆる領域に及んでいる。食品や飲料、家電、インテリアなどを選ぶときに、消費者はブランドを気にしている。それも「有名だから」「高級だから」「かっこいい」だけでなく、企業の姿勢や活動も含め、あらゆる角度からブランドが選ばれるようになっている。ブランドが持つ役割は、ますます大きくなっていくと言っていい。

由緒正しく高級であることを保証するマーク

ファッションは、ブランドで価値づけをするビジネスの先駆的な役割を担ってきた。デザイナーの感性やセンス、歴史に裏打ちされた職人技、時代を切り開く革新的な技術によって、大きな価値とそれに相応する利益を生み出してきたのである。

たとえばジーンズひとつとっても、無名ブランドと有名ブランドのものでは数十倍の価格差がある。Tシャツ一枚とっても、見た目や素材は同じようでいて、有名ブランドのものは格段に高い。ブランドの存在が飛躍的な価値を生み出している。ファッションが付加価値産業と呼ばれるゆえんでもある。

ここで、ファッション業界におけるブランドの系譜を少したどってみる。

日本のファッションブランドは、欧米に対する憧れと模倣に端を発している。第2次世界大戦後、クリスチャン・ディオールが発表した「ニュー・ルック」をはじめ、パリコレで発表されるデザイナーの服が多くの女性の憧れの的になった。日本の百貨店やアパレル企業は人気デザイナーと独占契約を結び、そのデザインを生かしながら、日本人の体形に合わせた服を販売するようになった。

その後、1960年代から70年代にかけて、「エルメス」や「ルイ・ヴィトン」など、欧州の老舗ブランドが舶来ものとして上陸した。高度経済成長期にあった日本では、いつかは手に入れたい憧れとして欧米ブランドが仰ぎ見られたのである。

そしてブランドはライセンスビジネスとして広がり、ロゴマークとブランド名が付された数々の商品――タオルや食器、寝具、雑貨類などへと展開されていった。ブランドが「由緒正しく高級であることを保証するマーク」として機能したのである。

80年代に飛躍的に広がったファッションブランド

一方、60年代の終わりに萌芽（ほうが）があった日本の若者ファッションは、70年代には音楽やアートといったカルチャーと結びついて勢いを増していった。米国のカジュアルファッションが脚光を浴びるようになり、「カルバン・クライン」「ラルフローレン」といったブランドが広まっていったのである。

バブル景気が盛り上がる中で欧州の高級ブランドの人気が高まり、「デラックスブランド」と呼ばれるようになっていった。著名であること、高価であることが大きな価値を持つようになり、ロゴが大きく入っていたり、オリジナルの柄が施されていたりなど、そのブランドと分かることが重要だった。ここ数年の日本におけるインバウンド消費に近い状況と言っていいのかもしれない。

同時に、国内ブランドも広がっていった。それまで欧米一辺倒だった憧れの対象が、日本のブランドにも目が向くようになり、「コムデギャルソン」「イッセイミヤケ」をはじめ、多くのデザイナーブランドがもてはやされた。アパレル企業も若手のファッションデザイナーを取り上げて新ブランドを立ち上げるなどし、好業績をはじき出していた。

バブルがはじけても、デラックスブランドの勢いは続いていた。銀座や青山の一等地に大型の旗艦店を構えるとともに、百貨店1階の路面、あるいは婦人服売り場の中央に、豪勢なブティックをしつらえるようになったのだ。

日本市場が有望であることから、日本法人を設立して乗り込んでくるところも増えていった。ライセンスも含めて間口を広げ過ぎていたビジネスを見直し、ブランドイメージの再構築を図ったのである。

好調だったこの時期、なぜ、あえて大きな舵取りを行ったのか。ブランドとは、扱う商品やサービスにとどまらず、それを取り巻くイメージであることを自覚していた。好調だからといって油断することなく、時代の先行きを見据えて中長期的な戦略を打っておくことが、ブランドを成長させていくために必要と分かっていたのだと思う。

一方、家業を継ぐ形で歴史を紡いできた老舗ブランドの数々が、買収されてコングロマリットの傘下に入り、激戦を繰り広げるようになっていった。徹底したマーケティング戦略のもと、ブランドとしての価値を上げることで、シェアの拡大と利益獲得を目指し、しのぎを削るようになっていったのである。この頃から、デラックスブランドは「ラグジュアリーブランド」と呼ばれるようになっていった。

日本のアパレルはなぜラグジュアリーブランドをつくれなかったか

日本のアパレルはどうなのか。90年代に入ってからも好況を背景に、ライセンスブランドだけでなく、自社ブランドを出して成功を収めていた。国内にとどまらず、アジア市場を見据え、グローバル展開に積極的な企業もあったし、それなりの価格設定でも成果を上げていた。

それが90年代後半あたりから、勢いをなくしていったのだ。平成不況が長引く中、アパレルに限らず、安さを売りにした商品が人気を集めるようになった。「マクドナルド」が半額バーガーを、「ドン・キホーテ」が６９０円ジーンズを出すなど、極端な安さが話題を集めた時代でもあった。

アパレルでは「ユニクロ」が98年に東京・原宿に出店し、1900円のフリースジャケットが大ヒットして人気ブランドになっていった。欧米からも98年の「ザラ」に続き、2000年代に入ると「H&M」「フォーエバー21」などのファストファッションブランドが次々と上陸し、人気を集めるようになったのである。

時代の大きな潮流は、不況下におけるリーズナブルさを求めていた。そんな中にあって、アパレル各社が展開していたオリジナルブランドは徐々に勢いを失い、売り上げを維持するため、コストを下げて価格を抑えるようになっていったのである。その過程で精緻で誠実なものづくり、高度な技術を駆使した布作りや縫製、豊かな感性に彩られた創造性などは置き去りにされていった。歴史や文化の面では欧米に決して引けを取っていない日本が、アパレルの領域でラグジュアリーなブランドを築けず、今に至っているのは残念だ。

振り返ると、もっと早い時期からラグジュアリー領域でブランドづくりをしておけばよかったのではと悔やむところもある。当時、人気だった日本人デザイナーブランドの中で、今もハイレベルなポジションを維持しているところもあるからだ。

ただ、これからでも遅くはない。ラグジュアリー領域で評価される日本のファッションブランドが世界に向けて羽ばたいていってほしいし、その可能性は大いにあると思う。

独自性のある世界観を築けているか

ファッション業界を眺めてみると、長きにわたって生き続けているブランドは、独自の世界観とストーリーを持っていると分かる。

「エルメス」が「エルメス」たるゆえんは、バッグやスカーフといった商品そのもののクオリティーやデザインはもちろん、ショップのインテリアや建築、接客サービス、広告やPRといったコミュニケーション戦略など、消費者がブランドと接点を持つ全ての領域において、確固とした世界観を築いているところにある。

銀座にある「エルメス」や「シャネル」をはじめ、青山の表参道沿いには「ルイ・ヴィトン」や「プラダ」といったように、そうそうたるブランドが旗艦店を構えている。いずれも著名な建築家に依頼して存在感のある建物を造り、フルラインアップに近い商品を置くにとどまらず、美術館などを造って自ブランドの歴史を語る。さらに、ギャラリーを設けてアーティストの展覧会を行ったり、ホールを持っていてコンサートを開催したりする。レストランやカフェを併設し、独自の料理やスイーツを供するなど、ブランドを多面的に見せる工夫を施している。世界観を体験させるリアルな場を重視しているからだ。

ファッションに限った話ではない。世界の主要都市で大きなショップを構えている「アップルストア」は均質な造りではなく、古い建物を生かした空間や柱がない大空間が広がっているものなど、バラエティー豊かな顔をしている。しかし、訪れた人はどの店に対しても、フラットな開放感やすっきりした明るさを感じる。「アップルらしさ」が宿っている、そんなふうに感じる人は少なくないのではないか。

ブランドとは単体としての商品にとどまらず、取り巻く世界観にある。そこを消費者に体験してもらうことが大事だということを深く理解しているからだ。

世界観の一部を担っているのが、ブランドが持っている歴史も含めたストーリーだ。

「シャネル」であれば、創始者であるガブリエル・シャネル（通称ココ・シャネル）の存在は強力なストーリーの一つになっている。働く女性のための服という発想から女性をコルセットから解放したこと、下着として扱われていたジャージーなど動きやすい素材を使ったこと、海軍のユニフォームだったボーダーTシャツやズボンなどを、女性の服として取り入れたことなど。時代の先端を切り開いていく彼女の生き方を、服として具現化したことで、多くの女性の憧れを誘い続けている。

あるいは「ルイ・ヴィトン」は、19世紀半ばに旅行用トランクの製造を始め、精緻な作りで定評を得たルーツにストーリーがある。人々の移動手段が馬車から電車や船、自動車に移行しつつあるのを見据え、それまで丸みを帯びていたトランクの蓋をフラットにし、一気に人気を集めた。さらに、防水性があって軽い素材を開発し、トランクやバッグで圧倒的な支持を得るようになった。

パリ万博における〝日本〟からインスピレーションを得て、1896年にはLとVの文字と花柄を組み合わせた「モノグラム柄」が生まれたというのも有名な説だ。こういった数々の物語が、そのブランドの独自性となって人々を魅了し、共感を誘ってもきた。ストーリーを紡いでいくことが、長きにわたって愛されるブランドになる要件と言っても過言ではないのである。

ブランドが持っている志を伝える

そもそもブランドとは、「これをやりたい」という意志をもって始めたことが、世間に認められて成功を遂げ、憧れや共感、信用とともに築かれていくものだ。正論で言えば、最初からブランドであるのではなく、結果的にブランドになると言ってもいいだろう。

その意味では、ブランドのルーツにある「これをやる」「ここが本業」という志は大切であり、そこを伝えることを忘れてはならない。

「エルメス」は、優れた職人の高度な技を盛り込んだ品を作り、日々の暮らしの中で愛用してもらうという志のもと、さまざまな商品を展開してきた。バッグ、時計、アクセサリー、スカーフ、化粧品、香水と業容が広がっても、そこは変わることがない。そしてそれを伝えるため、たとえば職人が手仕事でものづくりをしているさまを見てもらうといったイベントを定期的に行っている。

「グッチ」は2021年8月、ブランドの100周年を記念して、「バンブーハウス」というイベントを行った。バッグの象徴的存在であるバンブーハンドル（竹製の持ち手）をテーマに、アーカイブにある精緻な作りのバッグとともに、竹をテーマにしたアーティストによるインスタレーションを展示するなど、ブランドのルーツをテーマに据えながら、歴史を語るにとどまらず、新しい世界観を見せてもいる。

その意味では、「ソニー」が銀座の数寄屋橋交差点の角にあるソニービルを建て替えるにあたって展開しているプロジェクトも、ブランドの世界観を表現している。一気に壊して新しく建てるのではなく、第1フェーズは、18年8月から21年9月までの期間。「PARK／LOWER PARK」と名づけ、地上と地下が一体となった立体公園に。第2フェーズは「UPPER PARK／PARK／LOWER PARK」と名づけ、24年の完成を最終形としてユニークで遊び心がある空間を目指したものだ。

公園という空間を使って、「ソニー」という企業が持っているカルチャーをさまざまな形で紹介していく。これも、ブランドが持っている世界観を表現していくやり方の一つだと思う。

コミュニティーをつくって共感を得る

ラグジュアリーブランドがラグジュアリーブランドたるゆえんは、志を伝える努力を怠らずに続けてきたところにある。志を理解してもらうことが、ブランドにとって大事であることをよく分かっているのだ。

20世紀におけるラグジュアリーブランドは「いつかは手に入れたい」憧れの存在であり、持っていることで富や権力を象徴する役割を果たしてきた。ブランドと受け手はどちらかというと上下に近い関係であり、限られた人だけが手に入れられるという特別感が、ブランドをブランドたらしめてきた。もちろん今も、そういう役割を担っているところはあるし、それを求めている消費者も少なくはない。

一方、21世紀におけるブランドのありようは、一部で明らかに変化してきている。まず、ブランドと受け手の関係について、上下というよりフラットに近い関わりが求められるようになってきた。「遠い憧れ感」より「近い共感」を大事にする。そんな意識に変わってきているのだ。

周囲の人に対して富裕であることを表すためだけでなく、ブランドの志に共感し、買うことや使うことを通してそれを表明したいという意識が強まっているのだ。上から目線で伝えるメッセージではなく、双方向で理解し合えるメッセージを大事にしている。

また、特別感は健在であるものの、相対的には弱まってきており、代わって誰にでも開かれた存在であることが重視されるようになってきた。たとえばウイグル問題のように、そのブランドの活動が社会とどう関わっているかが明快であるか否かに、人々は敏感になっている。ただただ利益を上げること、シェアを拡大することにまい進している企業やブランドに対し、大きな価値や魅力を感じなくなっているのだ。逆に、強い志を持ち、果敢に実践していっている企業やブランドは、ファンが付いていく。

一方、表層的なメッセージをうたっても、簡単に見破られてしまう時代であることを忘れてはならない。志とは掲げることに意味があるのではなく、実行していくことに意味があることを、今の消費者は分かっている。ブランドに対する信用や信頼といったものが、これまで以上に問われていくと言えるだろう。

だからこそ、服の廃棄問題や途上国における労働力の搾取など、社会的な注目を浴び、責任を問われている課題について、各ブランドは早い時期にメッセージを出し、それを実行し始めている。実を伴っていない志が、これからの時代には通用しなくなっていくと分かっているからだ。

日本の商いはもともと、信用や信頼といったものを大切にしてきた。その商品や店を好む客が、買って使って間違いないと感じ、また訪れて顧客となっていく。売る人と買う人が、互いを信用し合って信頼関係を築いていく。その積み重ねによって、商品や店の名前が知られていき、長きにわたって生き続けていく。老舗と呼ばれる日本のブランドは、そういう過程を経て成り立ってきた。その精神をもう一度見直す必要があるだろう。

アパレル業界が大きな転換期にある中、ブランドを取り巻く潮流はどのような方向に向かっていくのか。恐らく圧倒的な世界観をもって上質な領域を提案していくラグジュアリーブランド的なものと、機能性や利便性をはじめ、徹底したコモディティー的価値を追求したものとに、大きく二極化していくと思われる。

これからの存在の意味を問われていくのは、その中間に位置しているブランド群だ。今のありようを全否定するということでもない。自ブランドの強みをどこに置くのかについて、本気で見極めて前に進めていくことが肝要なのだ。

4 「店」の壁

街を歩いていると、路面店をはじめ、ファッションビルやモールの中にあったアパレルショップの閉店が目に付く。コロナ禍における緊急事態宣言によって、店を閉めざるを得なかった。開けられるようになっても、顧客が来てくれずに撤退というケースは少なくない。

そういう状況について、全国にわたって店舗展開をしている経営者と話すと、「不採算店舗を閉めざるを得なかった。苦渋の判断だったが、これを無駄にしないためにＥＣに力を入れる」と言う。

一方、コロナ禍の影響は甚大だが、リアル店舗のありようは以前からの課題でもあった。本質的な意味を考える転機ととらえ、抜本的な改革を図っている。楽ではないが、未来に向けた好機になるよう努力を重ねているという話もある。

アパレル業界が越えなくてはならない壁の一つに、「店」があるのは明らかだ。百貨店、ファッションビル、駅ナカ、郊外のショッピングモール、アウトレットと、至る所で展開されているアパレルショップが、これからの時代に向け、どういう役割を果たしていくのかが問われている。

出遅れてしまったEC強化策

まず言えるのは、リアル店舗の数が多すぎるということだ。東京をはじめとする大都市はいうに及ばず、地方都市を訪れても、駅周辺や繁華街、郊外のショッピングモールに、無数のアパレルショップが並んでいる。巡っていて「ここはどこの都市なのか」が分からなくなるほど。均質なショップが全国に行き渡っているのだ。

これが悪いわけではない。かつては東京にしかなかったブランドショップが、地方にも出店している。わざわざ東京に出て行かなくとも、好きなブランドの服が手に入るのだ。欲しいブランドの服が身近にあることは、ある時期まで大きな価値を持っていたのだが、ECがこれだけ発達してくると、必ずしも効かなくなってきた。

小売りビジネスの中で、ECが伸びていくことは以前から分かっていたことだ。自宅から簡単に注文でき、すぐに家に届くし、着てみて似合わなければ返品できるショップも少なくない。そのうえ、ネット上で比較できる商品の数は、リアル店舗より格段に多い。価格、機能、デザインなど、ブランドを越えて多面的に比較できる。時間をかけて街じゅうを巡り、あれこれ試着して決め、持ち帰る手間も労力もいらない。買う側の心理がECへ傾いていくのは予測できることだった。

一方、企業ごとにバラつきはあるものの、日本のアパレル業界のEC導入は決して早くなかった。服は身体にまとうものであり、サイズや着心地との関わりが深い。実際に試着しなければ素材感やディテールは分からないから、リアル店舗の優位性は揺るがないという考えが根強かったのだ。

ただ、グローバルな視点からアパレルビジネス全体を見て、大きな潮流がECに向かっているのは明らかだった。勘とフットワークと決断力を備えた企業は、いち早くECを進めながら、リアル店舗のありようを模索していた。

大手百貨店やアパレル企業も踏み出してはいたのだが、規模やレベルにおける覚悟が弱かった。それがコロナ禍になって喫緊の課題となり、EC強化の戦略を打ち出し始めている。

これも、やればいいという話ではない。ECとリアルを関連づけることでファンを増やし、ブランド自体の価値を上げていくこと。あるいは顧客データをきちんと取って、商品計画や販売計画に生かすことなど、全体としての戦略を描く必要がある。デジタルはあくまで手段であり、「まずリアルありき」という業界の慣習を乗り越え、前に進むことが求められている。

また、リアル店舗にさまざまな顔や役割があるように、ECの顔や役割を明確にすることが肝要だ。「うちのECには多くのお客様がいて、多数のブランドが並んでいる」と、あるアパレル大手の経営者から聞いたので、そのECサイトにアクセスしてみた。規模はパワーの一つと感じたが、間口が広いだけに、どこに独自性を置いているのかが分かりづらい。これでは強いECになっていかないという思いが残った。広大なショッピングセンターの中に、さまざまなブランドショップが並んでいる。そんなサイトに見えたからだ。

ECだから、リアル店舗だからというすみ分けでなく、アパレルを買う場として「店」はどうあるべきなのか。そこを土台にしながら、ECはどこを担い、リアル店舗はどこを担っていくのかが問われていくのだと思う。

かつて百貨店には定休日があった

アパレルショップの増加は、小売業の成長・拡大と軌を一にしてきた。系譜を少し手繰ってみる。

1960年代に高度経済成長を遂げた日本で、憧れの買い物の場は何と言っても百貨店だった。大通りに面したウインドーを華やかなファッションが彩り、道行く人を魅了する。売り場には海外デザイナーのものも含め、最先端のファッションをまとったマネキン人形が並んでいる。ユニフォームに身を包んだ販売員の礼儀正しく丁寧な対応が、少し特別な感じを与えてくれる。

1階の服飾雑貨や化粧品、2階の婦人服は百貨店の花形であり、非日常的な豪華さが憧れを誘っていた。「ファッションの先端を行く伊勢丹」「気品を感じさせる高島屋」「老舗の風格がある三越」といったように、顧客はそれぞれの百貨店に対し、あるイメージを抱いていて、いい意味ですみ分けがなされていた。そして、それを象徴していたのがファッションだったのだ。

少し横道にそれるが、80年代後半まで、百貨店の閉店時間は18時かせいぜい19時で、毎週定休日があった。買い物客も「伊勢丹は水曜日がお休みだから小田急や京王に行く」、あるいは「日本橋三越は水曜日がお休みだから高島屋に行く」といったことを普通にやっていた。

定休日は、ウインドーディスプレイをはじめとする店内の装飾を変える、催事イベントの準備を行う、売り場の補修工事を行うといったことにあてられていた。デパ地下に併設されている調理場を含め、全館の清掃や整備を徹底して行う日でもあった。

それが、顧客の利便性向上という名目で百貨店の営業時間が延び、年中無休に近くなっていったのだ。「開いていれば便利」なのは間違いない。残業を終えてから買い物したい、仕事を終えて気分転換にショッピングという人にとっては、ありがたいサービスだ。

一方で、それだけを優先させていいのかという疑問も残る。定休日がなくなったため、店の装飾や清掃は閉店後に行われるようになり、店舗装飾やイベントに関わるスタッフは、深夜にかけて仕事せざるを得なくなっている。補修や清掃についても、集中や徹底が難しい状況が続いている。

以前はゆとりがあったといえばそれまでだが、従業員の働き方と顧客の利便性のバランスや、適正な売り場のありようという意味も含め、定休日について考え直してもいいのではないか。実際、コロナ禍を受け、売り場における安全・安心をより徹底させねばということから、休館日を設けるところが出てきている。

また、仕事と暮らしのバランスは、アパレル業界に限らず、あらゆる業種において考えなければならない課題の一つでもある。業界一律である必要はないし、こうあらねばというものでもない。何が最適かについて、議論と試みが進んでいくのだと思う。

ライフスタイルを店で提案する

70年代から80年代にかけては、百貨店だけでなく、ファッション専門店が勢いを持っていた時代だった。今はもうなくなってしまったが、資生堂の「ザ・ギンザ」が銀座7丁目に、新宿高野は新宿にそれぞれ専門店を構えており、最先端のファッションを紹介していた。バイヤーが目利きとして選んだデザイナーの服が並び、おしゃれな大人が集う場となっていた。そして、ファッション好きの若者にとって、「いつかは」という憧れの場でもあったのだ。

百貨店や専門店の勢いは、取引先であるアパレル企業と一体となったもの。糸や布、縫製工場をはじめ、中間に位置する卸問屋や企画会社の数々、製造卸や販売を担うアパレル企業、小売りとしての百貨店や専門店と、ファッション産業としての流通構造が整っていった。業界全体として大きな成長と拡大を遂げていたのである。

同時に、デザイナーやバイヤー、マーチャンダイザー、営業など、欧米のアパレル業界を手本にした専門職種が確立されていった時期でもあった。

成長拡大の過程で、競合ブランドと差異化するため、マーケティング戦略に力を入れるようにもなっていた。コンセプトを立て、ターゲットを決めて、ブランドの独自性を明確にする。目指す世界観を、雑誌のビジュアルをコラージュし、イメージで表現していくといった手法が取られるように。いわゆる〝感性〟を軸としたマーケティングが行われていったのだ。

ライフスタイルマーケティングが、米国発でうたわれるようになったのは70年代のことだったが、いち早く取り入れたのはファッションだった。80年代あたりから、消費者のライフスタイルを踏まえた商品や売り場を展開したのである。

衣食住にまつわる幅広い領域を扱う百貨店は、ライフスタイルを提案するにはうってつけの場だった。地下の食品売り場をデパ地下として充実させたり、婦人服売り場で雑貨を展開したり、生活雑貨とインテリアに力を入れたりといったことを、次々に行っていったのだ。売り場の一角にカフェを設ける、服と一緒に雑貨を展開するという動きが進んでいた。

時代の大きな流れを読みながら、果敢に新しい試みに挑んでいた。ファッションは、いわばマーケティングの先駆的なところに位置していたのだ。

ファッションをチェーン展開で全国に行き渡らせる

既製服の広まりとともに、アパレル専門店も勢力を拡大していった。水着を発祥とする「三愛」、洋装店を出自とする「鈴屋」、新規事業としてアパレルに参入した「鈴丹」などを筆頭に、激しい競争を繰り広げていったのだ。

進められたのは、チェーンオペレーションに基づいた多店舗化だった。徹底した効率化を旨とする、米国のチェーンオペレーションを手本に、どんな服をどんなラインアップで展開するかという商品計画、どんな看板と什器(じゅうき)、インテリアにするかという店舗計画、ファッション誌と連携するなどし、どうPRや広告を打つかというコミュニケーション計画のもと、次々と出店していったのである。

東京と地方との情報格差が大きい時代でもあり、地方にいる消費者にとって、東京にあるブランドは仰ぎ見る存在だった。「あのブランドが地元で手に入る」ということから、出店すれば顧客が付く状況でもあった。

一方、東京はもとより地方においても、さまざまな商業施設の開発が進められていった。ファッションビルという業態の先駆けは「池袋パルコ」だったが、その後、登場した「渋谷パルコ」と「ラフォーレ原宿」は、70年代の若者ファッションをけん引する存在だった。街を巡る楽しさをビルの中に集結させた業態として、国内はもとより海外からも注目されたのだ。

地方にもブランドショップを集積したファッションビルは進出した。全国でチェーン展開をしているアパレル専門店はもとより、東京発のファッションブランドがそこに入るようになり、東京から地方へ店舗網が広がることで、大量のアパレルが地方に行き渡っていったのである。

一方、米国で躍進した「GMS（総合スーパー）」のビジネスモデルに基づいたスーパー業態も伸びていた。

大量生産によって均質なクオリティーとリーズナブルな価格を実現し、食品を中心にした日用品全般をはじめ、アパレルや生活雑貨を扱ったのである。「ダイエー」「イトーヨーカドー」といった量販店が、全国規模でのチェーン展開をものすごい勢いで進めていった。生活関連のさまざまな商品を1カ所で買えるワンストップショッピング業態として人気を得ていったのである。

それらスーパーの中で、テナント的にショップインショップを入れるところが増え、アパレルのチェーンショップが出店するようになっていった。

そうやって、アパレルブランドがチェーン展開をする場は広がっていったし、それだけの需要が見込める環境でもあった。均質なものを行き渡らせる戦略が、大量の出店を推し進めていったのである。

多店舗化の波の中での同質化

その後、バブル崩壊、リーマン・ショック、東日本大震災を経ても、全国にわたる多店舗展開という大きな潮流は変わらなかった。特にここ2、3年は、東京五輪・パラリンピックによるインバウンドの需要などを背景に、エリアぐるみの大開発が次々と進んでいた。適度なグリーンを配した広大なエリアの中に、高層ビルが林立している。低層階には商業施設、上層階は住宅やオフィス、ホテルが入っているパターンが多い。

つぶさに見ていくと、それぞれの開発地のルーツに根ざしたストーリーが盛り込まれていて、その施設ならではの独自性が何となく伝わってくるのだが、総体としてはどこも同じように見える。「間違いがない」安心感はあるが、「面白そう」という発見はない。

商業施設に入っているアパレルショップの数々も、想定内のラインアップで似たような顔ぶれが多い。どこに行っても「あのブランドが買える」のは便利かもしれないが、こんなにたくさんブランドショップが存在する意味はどこにあるのかと首をかしげたくなる。「いつでもどこでも買える」をうたうのであれば、ECに軍配が上がるからだ。

では、これからのリアル店舗に求められていく価値には、どのようなものが含まれてくるのか。一つは、圧倒的なブランドの世界観を伝えること。そのブランドが持っているストーリーや背景を、生身の身体で体験してもらう場として、店舗の存在は不可欠だ。かといって、ラグジュアリーブランドのように、大規模で豪勢な造りである必要はない。要は、そのブランドの意図するところが、空間やコンテンツを通じて明快に伝わること、五感で感じ取れることが重要なのだ。

また、人は共感してファンになると、同じ思いを持っている人と共有したくなるものだ。その意味で、ブランドコミュニティーの場としてのリアル店舗の存在もあるだろう。服のラインアップを一堂に目にすることができる、販売員とおしゃべりできる、そういう場がファンの満足度を高めることにつながっていく。ときにはそこでデザイナーやバイヤーと直接話せるイベントを行うなどして、コミュニティーとしての求心力を増していくことも必要だ。

リアルの接客の持つ意味は

最後に一つ。リアルの接客による「思いがけない自分の発見」に触れておきたい。

ファッションが好きかどうかに関わりなく、人が服を選ぶときには、何らかの形で自分の好みを反映している。だからECで買い物をすると、そこを解析してリコメンドしてくれるのは便利な機能だ。「価格がリーズナブルでカジュアルなもの」「機能性優先でシンプルなデザイン」など、自分の嗜好の延長線上にあるものをピックアップしてくれる。そこから選べば、時間も労力も効率化できるからだ。

ただ買い物とは「そうそうこれ！」という共感だけで成立するものではない。「えっ、何これ？」という発見があると人は面白がる。そこも大事だと思うのだ。

自分では絶対に選ばない服を販売員に薦められて着たら、思いのほか似合った。今までの自分とは少し違う自分に見えた、という経験はないだろうか。「やっぱり似合う」という共感ではなく、「えっ、これも似合うの？」という発見がある。それは、プロの販売員の存在とお薦めあってのことだ。

つまり、思いがけない出合いは買い物に求められる要素の一つであり、それは接客によって起きることだと思う。買いたいものが決まっていて、できるだけ簡単、便利にということであればECになるが、新しい発見や出合いを求める領域においては、接客の果たす役割を忘れてはならない。むしろ、これからの時代、ますます重要になってくると思う。

リモートでの接客というやり方も出てきている。ただ、身体にまとって自己表現の一部となるという意味で、アパレルやメイク、ヘアスタイルなどは、立ち位置が少し違うのではないだろうか。

かといって、今まで通りの接客を全面的に肯定しているわけでもない。顧客に「思いがけない自分の発見」を提供するということは、その人の魅力を察知し、新しい側面を引き出す提案ができなければならない。

マニュアルに徹した接客と違って、深い専門性が求められる領域でもある。その意味では、人による接客の本質的な意味が問われ、必要とされる時代と言っていいのかもしれない。

店について言えるのは、「均質なものを行き渡らせる」という従来の考え方から、「独自なものを必要な人に届ける」という考えへシフトしなければならないということだ。効果や効率だけを念頭に置くのではなく、アパレルがリアルでしかできないこと、リアルだからできる価値を磨き直し、前面に打ち出していくことが肝要だ。

その意味では、店におけるデジタルとリアルの店の可能性とすみ分けは、待ったなしで取り掛からなければならない領域と言っても過言ではないのである。

5 「情報」の壁

ファッション業界以外のジャーナリストと話していると、アパレル業界は特殊で閉鎖的だと言われる。外部の人が入りづらい、独特の空気感があるというのだ。

言われてみれば、奇抜で華やかな服に身を包み、カタカナが多い専門用語が行き交っている。新参者に対して、頭のてっぺんから足の爪先までなめ回すように眺める、そういう事実がないわけではない。特殊で閉鎖的と言われるのも一理あると思った。でも、それはなぜなのか。ファッションが歴史の中で、人の権威や地位を象徴する表現手段だったという経緯も何らかの影響を及ぼしている。そもそも人のヒエラルキーと結びついて存在してきたものなのだ。だが、それだけではない。

半年をワンサイクルとして、時代の先端的なトレンドを発信してきたのがファッションだ。トレンドという情報を付加価値として提供してきたのである。

つまり、川上から川下へと「ものと情報が一体となって流通する仕組み」が存在するのが、アパレル業界の特徴の一つ。限られた人だけが知っているトレンド情報を、ニッチからマスへ、上位から下位に伝え広げていく。いわば情報のピラミッド構造の上に、産業としての基盤を築いてきた。

「ニッチからマスへ」ということは閉鎖性があるということであり、「上位から下位」ということはヒエラルキーが存在することを意味する。アパレル業界の情報戦略の一つなのだ。

それがデジタルによって、大きな転機を迎えている。閉鎖的なヒエラルキーの中でコントロールされていた情報が、デジタルによってオープンかつフラットになってきた。従来のように、限られた人だけが知っている情報の価値が変わってきたのだ。

今、アパレルにおける情報の意味が問われている。そのあたりを視野に入れながら、アパレル業界の情報のあり方について考えてみたい。

トレンドは情報会社がつくる

アパレル業界が、半年をワンサイクルとした仕組みを持っていることは、すでに触れた。春夏、秋冬というくくりの中で、そのシーズンのトレンドに基づいた新商品が発表されるのだ。

最近の流れでいえば、身体にぴったりしたものでなく、少し大きめのビッグなシルエットの服、スカートはロング、パンツは幅広のゆったりしたタイプ。こっくりした茶色や、艶やかなグリーンなど、はっきりした明るい色が多い。トレンドにのっとった服が店頭に並んでいる。

トレンドは占いのように予測するものではない。トレンド情報を専門につくっている会社があって、そこが制作するトレンドブックを、対価を払って手に入れるのが通例だ。1970年代から80年代にかけ、アパレル業界の成長・拡大と呼応するように、主に欧米を拠点とするトレンド情報会社が一気に増えていったのである。

では、トレンド情報がどのようなものかというと、文字とビジュアルを組み合わせたイメージの表現で、社会や文化を含めた時代の大きな潮流を前提に、大きな方向性やテーマがいくつか提示される。

その一つひとつについて、素材、色、デザインなどのアイデアが、ある世界観としてひもとかれていく。あくまで大きな方向性だから、布や色はどんな傾向なのか、シルエットはどんなバランスなのかといったものが、写真やイラスト、布などのコラージュに言葉を添える形で説明されている。

ファッションデザイナーはこれをうのみにするのではなく、自分なりの解釈を加えて新しい服を生み出すためのインスピレーションソースとして使う。

そして、自ブランドのコレクションとして、店頭に出す約半年前にコレクションショーや展示会という形で発表するのだ。

このトレンド情報はクルマや家電、インテリアなど、他業界でも使われている。なぜ、服のためのトレンドブックが他の業界でも役立つのか。社会や文化の大きな流れを背景に、新しいデザインを生み出すのは、アパレルに限らず他業界でも同様だからだ。

その意味でトレンド情報とは、表層的な流行情報にとどまらず、社会や文化を見据え、デザインの大きな方向性を指し示す役割を担っていると見ることもできる。

限られた人だけが見られるコレクションの存在

アパレルのコレクションや展示会は誰でも入れるものではなく、限られたジャーナリストとバイヤーに向けられたものだ。というのも、本来のコレクションや展示会は、ビジネスとしての注文を取る場だったのだ。

それが、高級既製服であるプレタポルテが人気を集めていく過程で変わっていった。コレクションで発表する情報は有用ということから、それまで個別にやっていたコレクションショーの開催期間を集約し、ジャーナリストを招待するシステムが取られるようになっていったのである。

　コレクションショーは招待状を持っている限られた人だけが訪れることができるもので、一般の人は見ることができない。ラグジュアリーブランドをはじめとする人気ブランドであればあるほど、業界内でも選ばれた人だけが入ることができる。閉鎖的で特権性があることが価値を持つ世界なのだ。限られた人だけがアクセスできる特別感が憧れを誘い、さらに情報の価値を高めていたのである。

　披露されたコレクションの情報は、雑誌や新聞などを通して消費者に伝わる。「今年はスモーキーな色がトレンド」「短めのニットとワイドパンツを合わせるのが今年流」といった、いわば前触れ的な情報を流すことで、消費意欲をあおってきたのだ。

　またこれが、アパレル業界に限った話かというと、そうではない。他業界でも、新商品やサービスの発表会は、限定されたプレス関係者に向けて行われている。ある先進的なIT製品ブランドのプレス発表会が、厳密な守秘義務のもと、ごく一部のジャーナリストにだけ開放されているのは有名な話だ。つまり、進化や変化が著しく起きている業界では、先端的な情報が大きな価値を持ち、ファッションと似たような現象が見られる。そう言ってもいいだろう。

クローズドな情報が価値を持たなくなった理由

この「業界から消費者へ」という情報伝達経路は、クローズド(閉鎖的)であることが価値を持っていた。これが立ち行かなくなってきた。背後にある理由を大ざっぱにとらえると、大きく2つの方向があると思う。

一つは、半年ごとのトレンドという情報が、価値として通用しなくなってきたことだ。半年ごとにコロコロ変わる流行を取り入れるのではなく、長いサイクルで服を選んで着る。大きな潮流として、そういうマインドへと人々の気持ちはシフトしている。もう少し踏み込んで言えば、業界の都合による半年サイクルに、消費者は意味を感じなくなっているのだ。

だからといって、トレンドがいらないという話でもない。「定番の服が必要なだけそろっていれば十分事足りる」という人もいるかもしれないが、全員がそうなるとも思えない。

街を歩いていると、コロナ禍で服装がカジュアル化したこともあり、さまざまな装いの人を見かける。カフェでTシャツに短パンでリモート会議している人もいれば、電車の中でかっちりしたスーツで書類をチェックしている人もいる。それぞれの仕事というシーンに対応した、機能的で便利な服を選んでいるのだと思う。

一方、大きく膨らんだパフスリーブや、透けるオーガンディ素材を何枚も重ねたスカート、細かい柄のゆったりしたワンピースなどを身にまとった女性も目に付く。ここ数シーズンの、いわゆるトレンドの流れを取り入れた装いだ。

そう思うと、今の気分を取り入れたファッションを着たいという意識を持った人は、以前に比べて減ったかもしれないが、それなりに存在している。

また、必ずしも半年というトレンドの枠組みに縛られることはなくなっていくだろうが、変化することに対する価値は存続していくと思う。

いつの時代においても、ファッションは時代の潮流をとらえ、けん引する役割も果たしてきた。

歴史を振り返っても、20世紀初頭にココ・シャネルは、女性をコルセットから解放するシックで動きやすいファッションを打ち出し、社会で活躍する女性たちを象徴する存在になった。80年代、ジャンポール・ゴルチエが「アンドロジナス・ファッション」と題して発表したスタイルは、男女の境界を越えるファッションとして物議を醸したが、これはLGBTQ（性的少数者）への意識の高まりにつながっている。社会動向をいち早くとらえ、服を通して表現してきたのがファッションであり、その役割は今後も続いていくと思われる。

時代が動いていく限り、新しいものが生まれ、古いものが失われていく。ただそのサイクルやスピードは、いつも同じではないということだ。

イノベーションが次々に起きている領域では、変化の速度が早くて当たり前だが、そうでない領域は変化が緩やかになってくる。特に先進国では成熟状況にあるアパレル業界が、相変わらずトレンドを旗印に横並びで従来通りのサイクルを続けることは、時代の流れとずれていっている。その乖離（かいり）について、これからどうしていくかが問われているのだ。

デジタルによって情報がオープンでフラットに

もう一つは、デジタルによって消費者に向けた情報を配信するチャネルが、いきなり開けたことだ。ピラミッドの頂点から大衆に広めていくというアパレル業界の情報伝達の構図が、大きくさま変わりしようとしている。

デジタル化の波は、クローズドなものをオープンにした。コロナ禍以前から、コレクションショーをデジタルで配信するブランドが出てきてはいた。消費者が目にするメディアが、雑誌や新聞からＳＮＳへ移行していく中で、情報を伝える手法としてデジタル配信を選択するところがあったのだ。

これにコロナ禍が拍車をかけた。リアルの場で限られた人が集まって見るコレクションショーが物理的に開催できなくなり、コレクションショーをデジタル化するところが増えたのである。限られた人だけが見ていたコレクションショーが、世界同時発信でアクセスできるようになった。

これによって、バイヤーやジャーナリストを頂点としたクローズドなヒエラルキーは崩れた。情報の伝達がオープンになることで、これまで成立していた価値付けができなくなったのだ。

この流れを受け、新聞や雑誌が取り上げるファッション情報のあり方も変化してきている。「あのブランドがこういう服を発表した」という情報はネットを介してライブで手に入るわけだから、知る人ぞ知る業界情報や深く踏み込んだ批評などを発信していく必要が出てきたのだ。

コレクションショーの方法も、デジタル配信によってさまざまな試みがなされている。従来のように、ランウェイをモデルが練り歩くさまをそのまま映像として流すところもあれば、アニメや映画仕立てにし、そのブランドの世界観を徹底して描くところ、CG（コンピューターグラフィックス）を駆使して、デジタルならではの新しい表現手法を大胆に取り入れるところなど。一般消費者が目にすることも視野に入れ、情報としての新しい見せ方を工夫しているのだ。

未知の領域だけに、これで正解というものがあるわけではない。コロナ禍の先行きがおぼろげながら見えてきている中、従来のやり方への揺り戻しも起きている。だが、全く同じ形で元に戻るという考えは、もはや通用しないのだと思う。

円のようなコミュニティーが共存する時代へ

それではこれから、アパレルを取り巻く情報は、どのような形になっていくのか。今までのように、ピラミッド構造のもと、トップの限られた層がボトムのマスに向けて発信していく構図ではなくなり、いくつかのパターンに分化していくと思う。ラグジュアリーブランドの一部では今までと同様、ピラミッド構造が持っている特別感や限定感は価値を持ち続ける。富裕層をはじめ、一部の層からは権威や富の象徴的存在として求められていく。

もう一つの方向はピラミッド構造ではなく、同心円のような情報のあり方だ。濃いファンが中央部に、そこからグラデーション状にファンが集うようなコミュニティー的な役割を担っていくのだと思う。情報を発信するブランドを核とし、それに賛同するファンが集まって円をつくっていくようなイメージ。それぞれの円によって核は異なり、集まる人も異なっている。

円内部での情報のやり取りは中心から周辺への広がりもあれば逆もあって、双方向で行われている。作り手と使い手のコミュニケーションもあれば、使い手同士のコミュニケーションもある。それぞれの円の大きさは変化するし、ときには円と円が重なることもある。大小とりどり、円の濃淡のバランスもバラバラ、そういう多様な円が群れているような状況が広がっていくのではないか。

つまり、トレンド情報を頼みに引っ張っていく方法から、自ブランドの独自性を基に双方向で共感を得ていく方法へ。その意味では、本来的な多様化が進んでいくと見ることができる。

情報の果たす役割が大きく変わり、だからこそ本質的な独自性が問われていく。そこを忘れてはならないと思う。

6 「デザイン」の壁

2021年7月、ファッションデザイナーの小泉智貴が手掛ける「トモ コイズミ」が、京都の元離宮二条城で、22年のコレクションショーを行った。池を備えた清流園を舞台に、花が咲いたような美しいドレスの群れが登場した。このショーは、日本の資源や文化、精神性を見直して伝えたいという意図から、京都の老舗企業からの協力を得て実現したもので、国内はもとより海外メディアからも注目を集めた。

同氏の作品は、幾重にも連なったフリルの群れと、カラフルな色が生み出すゴージャスな世界を提案するもの。東京五輪の開会式で「君が代」を歌ったMISIAの衣装が話題を呼んだのは記憶に新しい。

単なる美しさを提示するにとどまらず、人が着て動くことで見ている人も着ている人も気分が高揚し、触発される。ファッションデザインの持っている創造力の一つと感じた。

一方、「LifeWear」をうたっている「ユニクロ」や、「わけあって、安い。」を掲げている「無印良品」はコロナ禍でも好調な業績を上げている。シンプルでベーシックなデザインを土台に、機能性が高い素材や着やすく動きやすい服が支持を集めている。デザインに手を抜いているわけではない。ブランドのコンセプトに基づき、使い手の視点に立ったデザインが追求されているのだ。

一見すると、「トモ コイズミ」と「ユニクロ」や「無印良品」は、同じファッションでも対極のものととらえる向きもあるだろう。しかし、ブランドの思想とデザインを一致させて表現し、支持を得ている。どちらもデザインの力が働いているという点では相通ずるものがある。

ラグジュアリーなデザインが存在する一方で、リーズナブルな領域でのデザインもある。そのどちらもが、使い手である消費者から見たら、デザインとしての価値を持っているのだ。

これからファッションデザインが、どんな役割を担っていくのかを考えてみたい。

「人並み」を手に入れるためのファッション

日本で洋装文化が広く大衆化したのは第2次世界大戦後のことであり、アパレルデザインのルーツはその頃に遡る。

クリスチャン・ディオールの「ニュールック」をはじめ、欧州のデザイナーが発表するスタイルが女性の憧れの的となっていた。だが、流行を身に着けることができるのは、ほんの限られた富裕層だけだった。

それが、現象として広く行き渡ったのは、1960年代に大流行したミニスカートだろう。ロンドンのストリートファッションを発祥に、マリー・クワントやアンドレ・クレージュらが発表した膝上丈のスカートが、音楽やアートといったユースカルチャーと一体化し、世界中に広がっていったのである。

日本も同様であり、富裕層や若者に限らず、子どもから大人まで幅広い層が、流行ファッションとして身に着けた。そこまで広がった背景には、「流行だからいち早く身に着けなければ」ということ以上に、「人並みに流行を取り入れないといけない」という意識が強く働いていた。

当時の日本は戦後の高度経済成長の真っただ中にあり、洗濯機、冷蔵庫、テレビが「三種の神器」としてもてはやされていた。「隣の家が買ったからうちも買う」「人並みの暮らしをするためにこれは必要」といった「人並み消費」が広がっていったのだ。ミニスカートは、この意識を象徴するファッションでもあった。膝上丈のスカートを着ていることが、「人並み」を表現していたのである。

デザインの多様化が始まる

その後、70年代に入る頃から、日本の若者ファッションは勢いを増していった。「ポパイ」や「アンアン」といったファッション雑誌が相次いで登場し、流行情報を次々に紹介。若者ファッションのバイブル的存在になっていったのである。

ファッションデザインも一元的なものではなく、多様化していった。たとえば、スカート丈はミニ一辺倒だったものが、足首を隠すマキシ丈あり、ひざが隠れるミディ丈あり、もう少し長いミモレ丈ありといった具合。ジーンズについては、裾が広がっているベルボトムあり、胸当て付きのサロペットあり、巻き貝のように斜めに布をつぎ合わせたエスカルゴスカートありだった。

ファッションに対する意識が「人並みの格好をすること」から「人と違う格好をすること」へと変わっていった。これは「人並み消費」から「差異化消費」への移行であり、ファッションデザインはそれを体現してもいた。

この傾向は、80年代に入って勢いを得て、バブル景気下でさらに盛り上がった。高級であること、有名であること、斬新であることなどが差異化の要素となり、奇抜なデザインのものが受け入れられていったのだ。

同時に、トレンドによる差異化が重視されるようになり、トレンドを備えていることが「トレンディ」という言葉で表現され、ファッションを筆頭に、クルマ、家電、食品、外食、ホテルなどあらゆる分野で多用され、どんどんエスカレートしていった。

「ワンランク上」という言葉がもてはやされるようになり、周囲より少しランクが上という差異を競うようになったのである。ただ、ここでいう差異化が、本来的な意味での個性の表現になっていたかというと、そうではない。好みのブランドで全身を固める、お仕着せ的なスタイルが少なくはなかった。

あくまで雑誌などのメディアが発信する「トレンド」という枠組みの中で、隣の人と少し違うことに重きが置かれていた。一見すると似たような格好をしているが、よく見るとディテールが違う。それくらいの差異化が広がったのである。

「差異化消費」から「編集型消費」へ

それが90年代に入ってバブルがはじける頃から、少しずつ様相が変わってきた。特に若い層の間で、雑誌やブランドが提案するお仕着せでなく、自分の好みでコーディネートする「編集的」な着こなしが広がっていったのだ。

この流れの中で、バイヤーが自身のセンスで選んだ服をそろえたセレクトショップが脚光を浴びた。先駆けとなったのは「ビームス」や「シップス」だ。たとえばベーシックなシャツにチノパン、そこに欧米の高級ブランドのバッグを合わせるようなスタイルが、渋谷の「ビームス」や「シップス」を訪れる若者のストリートファッションから生まれ、「渋カジ（渋谷カジュアル）」として人気に。欧米のスタイルの模倣ではなく、業界から発信された流行でもなく、日本オリジナルのストリートファッションとして注目を浴びた。さまざまなデザインを選んで組み合わせる、編集的視点が重視されるようになったのだ。

それも、奇抜さや斬新さを前面に出したものではなく、一見するとベーシックでシンプルながら細かいところまでこだわっていたり、デザイナーの思想が表現されていたりするものへと、ファッションデザインに求める要素も変わっていき、多様化していった。

さまざまなデザインの中から自分の好みのものを選び、自由にコーディネートして着こなす。そこにはベーシックなものもあれば奇抜なものもあり、ブランドものもあればそうでないものもある。毎シーズンのトレンドを追うデザインもあれば、シーズンに関係ない定番的デザインもある。デザインの果たす役割も多様化していった。

横並びの「人並み消費」から、少し個性を出す「差異化消費」、そこから「編集型消費」という進化を経て、消費者がファッションを選ぶ目も、徐々に磨かれていったのだ。ファッション消費における本来的な意味での多様化は、この頃を起点に進んできたものと言える。

消費者は多様化を求め、送り手の企業は同質化へ

だが、送り手であるアパレル企業は、戦後から続いてきた右肩上がりの成長を遂げる過程で、大量生産・大量消費のビジネスモデルをつくり上げてきたし、それを加速化して効率性を上げることにしのぎを削ってきた。今の売れ筋を分析して量産し、安定した利益を確保する最大公約数的なデザインが優先されるようになっていった。

その結果、店頭に並んでいる服はトレンドのエッセンスこそ入っているものの、取り立てて個性が際立ってはいない。そこそこの流行が盛り込まれていて、価格もそこそこに抑えられている。商品としては破綻がないのだが、デザインとしての魅力にどこか欠

ける。ショップ名が記されていなければ、どこのブランドのものか分からない。大きな流れとしては、同質化への道をたどっていったのである。

受け手である消費者がデザインの多様化を求める方向にある一方、送り手となる企業は同質化に向かっていった。徐々に進んでいった乖離が、ここへきてより明らかになってきたということだ。

では、これからファッションデザインに求められていくのは、どういう方向なのか。一つは、身に着けることで気分が高揚し、触発されるような力を持ったデザインだ。マジョリティーではないものの、人の感性に訴えかけてくるデザインの役割は、これからも継続的な地位を得ていくと思う。

コロナ禍にあっても、ラグジュアリーブランドで好調な業績を上げているところが少なくないのは、富裕層がこぞって買い求めたという理由だけでなく、この時期に美しいものが着たい、創造的なものを身に着けたいという層がいたから。アート業界が活況を呈しているのもこれに似た文脈であり、必ずしも富裕層の需要だけでなく、心が動くものへの関心が高まっている証左と言えるのではないか。

もう一つは、日常的に身に着けるのに適した、動きやすくて心地よい方向のデザインだ。優れた機能を備えた布使いやカッティングが施され、クオリティーに対して価格がリーズナブル。流行の先端ではないものの、時代の流れに沿ったデザインが盛り込まれている。決して派手ではないが、この領域におけるデザインの役割も重要だ。着る側の視点に立った着やすさや動きやすさを前提に、布作りや縫製の技術と一体化したデザインが追求されていく。

こういったデザインは、「ユニクロ」や「無印良品」をはじめ、これからも求められていく方向の一つであり、大きな動きになっていくと思う。

感性や創造性に重きを置いたブランドと、機能や利便性に重きを置いたコモディティ的なブランドに二極化していく中、その中間に位置している多くのブランド群がどちらの方向性を強めるのか。あるいは全く異なる価値軸を打ち立てていくのか。今後の舵取りが問われる領域になっていく。

どちらに基軸を置いたブランドとしていくのかを定めたうえで、その領域における独自のデザインを追求していくことが、今まで以上に求められていく時代と言えるだろう。

アパレルに未来はある!
ファッション業界の変革者たち

本書ではこれまで、半年サイクルやセール前倒し、商品の同質化、デジタルシフトへの遅れなど、苦境に立たされているアパレル業界の問題点を指摘してきた。しかし、希望もある。カギとなるのは、常識にとらわれないアプローチで存在感を発揮しているアパレル業界の“変革者”たち。

ここからは、そんな変革者たちの熱量の原点を探り、それをどのようにしてビジネスにつなげていったかを探っていきたい。

前へならえができなかった「マザーハウス」ものづくりの原点

山口絵理子
「マザーハウス」代表兼チーフデザイナー

途上国から世界に通用するブランドをつくる

愛用しているころんとした形状のバッグ。角にゆるやかな丸みがついていて、見た目にやさしく持ち歩きやすい。青みがかったグレーの革使いが、控えめながら上品なたたずまいだ。本体と持ち手をつなぐパーツやファスナーの付け方などに、きめ細かい技が施されている。

これは2020年、「マザーハウス」で手に入れたもの。「途上国から世界に通用する

「マザーハウス」代表兼チーフデザイナーの山口絵理子氏。1981年埼玉県生まれ。慶應義塾大学総合政策学部卒業。ワシントンの国際機関でのインターンを経てバングラデシュBRAC大学院開発学部修士課程終了。2年後帰国し、「途上国から世界に通用するブランドをつくる」をミッションとして、2006年に「マザーハウス」を設立。現在、途上国6カ国（バングラデシュに加え、ネパール、インドネシア、スリランカ、インド、ミャンマー）の自社工場・提携工房でジュート（黄麻）やレザーのバッグ、ストール、ジュエリー、アパレルのデザイン・生産を行う。国内外41店舗で販売を展開（21年10月時点）。世界経済フォーラム「Young Global Leader（YGL）2008」選出。ハーバードビジネススクールクラブ・オブ・ジャパン アントレプレナー・オブ・ザ・イヤー2012受賞

ブランドをつくる」を理念とするファッションブランドだ。製造から販売まで自社で行うことを主軸にし、セールを行わないなど、アパレル業界の常識と異なるやり方をとっている。

店の前を通ったことは何度もあるのに、中に入って商品を手に取ったのは初めてだった。何となく敬遠していたのだ。理由をひもといてみた。

一つは、私がファッション業界に身を置くがゆえの先入観に染まっていたこと。エコやサステナブルといったエシカル（倫理的）なコンセプトと、センスや感度は同居しづらいという思いがあり、「マザーハウス」をその文脈でとらえていた。

ひょんなことから創業者で代表兼チーフデザイナーの山口絵理子さんと会うことになり、事前に店を訪れて商品を手に取ってみたところ、センスも感度も備えていて、思い込みにすぎなかったと反省しきり。気に入って手に入れ、日々使うようになった。

もう一つは「途上国のため」というメッセージが強過ぎると感じ、正論に対して斜に構える持ち前の性格が邪魔をしたこと。「マザーハウス」のメッセージを〝いかにも正論〟ととらえてしまっていた。

ところが、山口さんの話に心が動いた。「マザーハウス」の企業理念の背後には、「マイノリティーにも生きる価値はある」という思いがあったのだ。「人と違うこと」や「多様な価値観」を尊重し、体当たりで実践してきた。そのうえで質やセンスを大事にしたものづくりにこだわり、価値を上げることにエネルギーを注いできたのだ。

幼少期に感じた「人と違ってはいけないの？」

「『人と違ってなぜいけないの？』と思う子で、〝前へならえ〟ができなかったんです」――。山口さんの口から飛び出した幼い頃のエピソードだ。

「マザーハウス」の代表としてだけでなく、自らバッグやジュエリーなどのデザインや制作も行い、プライベートでは1児の母でもある〝非の打ちどころのない人〟。途上国の役に立ちたいという強い意志にあふれた、いわゆる優等生タイプと思い込んでいたのだ。

山口さんはそうではなかった。「人と違う子だった」ので、小学校1年生のときにクラスの仲間外れにされ、学校へ行けなくなった時期もあったそうだ。お母さんが学校に呼ばれ、「病院で診てもらったほうがいいのでは」と言われたという。

その後の山口さんはどうなったか。「自分がマイノリティーであり、否定されたように感じてもいた」。人と違うことはすなわち少数派であり、良くないことだという常識が、子ども心を深く傷つけたのだ。それが「マイノリティーにも生きる価値がある」という信念のようなものにつながり、強くなりたい、楽しい学校をつくりたいと思うようになった。

不良グループから柔道一直線、そして教育へ

学校や勉強が面白くない状況はその後も続き、中学ではいわゆる不良グループに属していた。「学校をさぼって仲間と遊んでいるのが楽しかった」と言う。慶應義塾大学総合政策学部卒業という学歴から、不良と言っても勉強はできたのかと思ったら、これが違った。

「強くなりたくて柔道を始めたのです」

女性が男性を投げ飛ばす柔道を見て「かっこいい」と柔道部に入ってのめり込んでいった。もっと強くなりたいという思いから、地元の埼玉県で強豪だった大宮工業高校に進学。女子部がないのは分かっていたが、「男子と練習すれば強くなれるに違いない」と顧問の先生に頼み込み、「本気で全国制覇を狙う」という条件付きで、たった1人の女子部員として入部したのだ。

100キロを超える男子相手の練習はハードだったが、どんなに練習しても成果は出なかった。しかし、3年生最後となる大会で「ここまで努力し続けてきたのだから、不安を忘れて思い切りやろう」と気持ちを切り替えたところ、全国大会で7位まで上り詰めた。そのとき、「本当の敵は自分の気持ちだった」と気づいた。同時に、「今の自分に

は柔道でさらに上り詰めるモチベーションがない」と分かったという。

次に進むべき道は何だろうと考え、「楽しい学校をつくりたい」という幼い頃からの思いに行き着いた。そのためには社会を広く知る必要がある。初めて「勉強したい」と思った。猛勉強を始めたものの、何もかもが間に合わない。いろいろと調べ、慶應義塾大学湘南藤沢キャンパスが、面接や論文などで総合的に評価するＡＯ（アドミッション・オフィス）入試を導入していることを知り、入学が決まった。

山口さんの関心は教育に向かっていった。「人と違っていい」という価値観は早い時期に教えるのが大事だと考えていたからだ。そして竹中平蔵氏の講義で「途上国は学校もなく教育が未開拓に近い」という話を聞き、「私が手伝えることはそこにある」と一念発起した。

何とか途上国の支援に携わりたいと、大学４年生のときに米州開発銀行のインターンとなり、米国ワシントンで４カ月間働いた。そこで目の当たりにしたのは、必要なところに必要な援助が行き渡っていないこと。本当に役立つためには現地に行かなければと思い立ち、ワシントンから帰国する途上でバングラデシュに立ち寄った。バックパッカーとして1週間ほど滞在し、自分は途上国のことを全く理解できていないと実感。バングラデシュの大学院に入ることを決めたのだ。

何事も現場に行って肌身で感じ、やれることをやっていくという山口さんの姿勢には一貫したものがある。柔道の道に飛び込んだことも、大学受験に挑戦したことも、基点には現場で体当たりする行動力がある。本当のことを知りたいなら、その場所や事象の中に身を置き、心身で感じた主観を信じることをひたすら続けてきたのだ。

しかも一旦ハマると、とことんまで突き詰めていく。その原動力は何なのか。興味がある、好きと感じたらやってみる。そこに濃い愛があるから、夢中で追い求めていく。人を駆り立てる強烈なパワーは、「好き」と感じる力にあると思い至った。

バングラデシュで教育からものづくりへ

バングラデシュでの生活は波乱に満ちていた。両親からは「好きな道を選ぶのはいいが援助はしない」と言われていたので、昼に働いて夜間の大学院に通ったのだが、治安が悪い。防犯スプレーを携え、用心しておびえながらの通学でもあった。

あるとき、現地の友人から「学校を出ても職がない。仕事をつくってほしい」と言われたのが心に残った。バングラデシュは工賃が安いことからアパレルの生産拠点になっていたが、低コストが売りだから賃金が上がらない。何とかできないかと考えるようになったという。

日本のアパレル業界も、1980年代後半あたりから、国内生産をアジア生産に切り替えるところが増えていった。コスト削減を図るためだが、その影響で廃業に追い込まれる工場が日本各地で続出していた。コスト競争に陥ると培ってきた技術力が失われ、働く人たちの誇りもなくなっていく。そして結局は、薄利で立ち行かなくなっていく。

インターンとして三井物産のダッカ事務所で働いていた山口さんは、そういった状況を見聞きしていた。バングラデシュの工場も安価な工賃だけで勝負していては価値が上がらず、いずれジリ貧になっていく。「ここで必ず、付加価値の高いものを作ろう」と行動に移った。

出合ったのは、麻の一種であるジュート素材だった。「ごわごわの麻を『俺たちのゴールデンファイバーだ！』と現地の人が自慢げに言うのを耳にし、これは使えると思ったのです」（山口さん）。調べてみると、地球環境にやさしい素材であり、世界の総生産量の大半をインドとバングラデシュが占めている。これならバングラデシュの独自素材として個性が出せる。三井物産で商品化できないかと考え、レジ袋の代わりに使えるエコ的なバッグを作り、東京本社でプレゼンするまでこぎ着けた。いいところまでいったものの、最終的には、取引にまつわるリスクを回避しなければならないという企業の論理で通らなかった。

しかし、ここで引き下がらないのが山口さんたるゆえんだろう。1人でもやれないか、何とかしようと、取り組んでみることにした。

価格で勝負せず、付加価値の高いバッグを作らねばと、ものづくりを追求していったのだ。といっても、工場の人たちが最初から協力的だったわけではない。「持ち手に柔らかくて握りやすい革を使ってみよう」「底に鋲（びょう）が付いていると丈夫で便利」などと山口さんがアイデアを出すと、「どうしてやらなければならないのか」といちいち反論され、長い時間をかけて説得しなければならない。ようやくのこと、これならと思うものが出来上がった。ゼロから生み出した子どものような160個のバッグとともに、いざ売ろうと帰国したのだ。

何としても売り先を見つけなければならない。何とか会社を立ち上げ、山口さんは実家に住んで、百貨店の催事販売員や「ドン・キホーテ」でのアルバイトなどをしながら、売り先を開拓すべく駆け回った。

サンプルを持参し、ここに置いてもらえればというところに飛び込みで営業して回ったが、1人で始めたばかりで無名ブランドのうえ、後ろ盾もない。バングラデシュで作ったジュートのバッグというと、安かろう悪かろう的なイメージもあった。見る前からけんもほろろに断られるケースが大半で、開拓は容易ではなかった。

そんな中、話を聞いてくれるバイヤーもいた。いざ商談となって「掛け率は55％」と言われたが、業界のことが全く分からない。掛け率とは小売店への卸値のことを指し、その商品が売れた数量分だけ小売店から取引先に支払うもので、掛け率55％は販売価格の

45%が小売店の取り分ということを意味している。「置いてもらうのにそれだけ取られることに驚きました」（山口さん）。

飛び込み営業の結果、最初に取引してくれたのは渋谷の「東急ハンズ」だった。バッグを手に取り、「面白いから置いてみましょう」と言ってくれたのだ。そうやって1つずつ開拓していった。

山口さんが諦めなかった理由は、その時々の熱意の対象が明確だったことにある。夢中になるから、目的以外のことはたとえ気づいていても大きな懸念にならない。すでに走り出している身体も心も止めることができない。だから労苦や失敗があっても、迷いながら何とか乗り越えていく。するとまた、次の対象が出てくる。だからまた追い求める。柔らかい笑顔を浮かべ、幸福そうな山口さんの姿が、その証のように映った。

その後の「マザーハウス」はメディア露出が増えて少しずつ広まっていったが、ここでまた次のハードルが見えてきた。「取り上げてくれるのは、もっぱら商品でなく私のことばかりでした」。途上国の恵まれない人を支援する、社会のために貢献するといったストーリーが前面に出ていて商品のことは後回し。買ってくれた顧客の反応も「貧しい国の人を助けたい」「何らかの社会貢献をしたい」という内容が多く、バッグに価値を感じて愛用している姿は見えてこない。これでは自分のやりたいことと違う。「商品で勝負できていない」と気づかされたという。

そもそも山口さんは、バッグデザインはもとより、ファッションやデザインにまつわる勉強や修業を一切せずに、ここまで進んできた。何とかやれてはきたが、さらに前進するためには、革を含めたバッグの専門的な知識と技術を身に付け、自分が最高と思えるバッグを作らなければならない。これと決めたらあらゆる手を尽くすのが山口さん流。バッグ職人のための学校に入り、修業に励んだ。

そして目指したのは、飽きがこず、トレンドに左右されない、年代・世代を超えて愛用されるもの。確固たる独自性を持った商品だけが長く愛用してもらえると考えてのことだった。だが、それを形にするのは容易ではない。デザイン力や技術力だけでなく、バングラデシュの工場を動かす統率力も求められ、全エネルギーを注いで取り組んだ。

誇りを持って作ったものには命がある

「マザーハウス」は2007年、東京・入谷に直営店をオープンし、顧客とじかに接する場をつくった。直営店ビジネスは家賃や販売員も含めてコストも労力もかかるが、ブランドの志やものづくりにまつわるストーリーを伝えられるし、顧客の反応や要望をダイレクトに受けられる。山口さんが大事にしてきた思いを実現するために必要なことだった。

08年にはバングラデシュに自社工場を造った。多くのアパレル企業がバングラデシュで生産しているものの、その大半は現地法人への委託であり、自社工場を持っているところは珍しい。どうして自社工場にこだわったのか。「生産と販売、お客様と生産者、途上国と先進国という二項対立を超えたコミュニティーをつくりたい」という思いだった。

ただ工場を造るまでの道のりも険しかった。風習や文化の違いを乗り越えて信頼関係を築くことが大事だが、一朝一夕でできるものではない。バングラデシュは経済的に貧窮していることもあり、賄賂が横行していた。盗みやだましだまされといった行為も日常茶飯事で、山口さんも何度か直面し、悔しい思いを重ねていた。それでも「自分が信じる道を生きることが私の性分だから」と諦めず、信用できる人との出会いを求め、工場を造るまでにこぎ着けたのだ。

「工場の人が誇りを持って作ったものには命があるのに、委託された工場のものにそれが感じられなかった」と山口さん。徹底した効率化による低コストを売りにする委託生産では、職人が誇りを感じるのが難しい。だから山口さんは、職人が技術を磨いて商品の価値を高め、顧客が認めてくれる商品を生み出すことに力を注いだ。

たとえば、流れ作業ではなく少人数のグループで1つの商品を作り上げる方式を導入した。「工程を短く切って流れ作業にしたほうが、効率がいいのは分かっていますが、作り手が自分の仕事に責任と誇りを持つことが大事だと思うのです」（山口さん）。以前、私が「エルメス」のアトリエを取材したとき、1人の職人が1つのバッグを作っているので理由を聞いたところ、「1つのものを1人で作り上げるのが僕の責任と誇りなんです」と胸を張って語る姿に感銘を受けたのを思い出した。

「マザーハウス」流SPAは〝喜びの循環〟をつくること

「マザーハウス」は直営店と自社工場を持つことで、ものづくりから販売までを一貫して行うSPA（製造小売り）と呼ばれるビジネス形態をとっている。そもそもアパレル業界では、製造卸を担うメーカーと小売りが分かれているのが一般的で、長く複雑な流通経路によって時間もコストもかかるのが通例だった。そんな中、米国を発祥として1990年代に日本で広がったのがSPAであり、製造から販売までを一気通貫で行うことでスピードアップと利益拡大を図る。店頭の反応をものづくりにすぐ反映できる仕組みとして脚光を浴びた。「ユニクロ」「ザラ」「H&M」をはじめとするファストファッションは、グローバル市場でSPAを展開している代表格だ。

一方、「マザーハウス」がSPAを導入したのは、効率化のためではない。製造から販売まで自社で行うことで、全ての工程に目を行き届かせることに主眼がある。流通経路を省くことで無駄な労力とお金を使わないこと、適量を適時生産することでセールを行わないこと、不具合や修理を含めた顧客の要望をじかに引き受けること、そしてバングラデシュの作り手の思いを顧客に届けることを重視したのだ。商いに関わる人それぞれが、自分の仕事に価値を感じていきいきと働くことを目指している。

それを体現するため、「マザーハウス」では顧客をバングラデシュの工場に連れて行くツアーを行っている。招待ではなく、顧客はツアー代金を払って「マザーハウスのバッグが作られている現場」を見に行くのだ。環境が整えられた場で丁寧に作られている工程、誇りを持って働いている職人の姿を目の当たりにした顧客は、ブランドへの信頼感を高めるだろうし、職人たちは、自分たちが作ったバッグを使っている顧客と交流でき、やりがいが増すに違いない。

最近ではアパレル以外の領域でも、ものづくりの現場を開放する企画が増えているが、途上国の工場を訪れるツアーはあまり耳にしたことがない。「知りたい、見てみたい」という顧客の存在と、確かな自信を持って自社工場を運営している「マザーハウス」の間に、共感・共創の意識が共有されていくに違いない。

山口さんのやりたいことは、良質なものづくりに取り組むことでバングラデシュの人を喜ばせ、顧客にも喜んでもらう。いわば〝喜びの循環〟をつくることにあったのだ。

「かわいいから買う」を大切に

山口さんは「かわいいから買うという物欲を大事にしている」という言葉を何度も口にした。「途上国の役に立つ」「機能が充実していて便利」という社会性や機能性によった価値だけでなく、「かわいい」というエモーショナルな感覚を大事にしているのだ。これはアパレルが持っている特質の一つでもある。

ともすると昨今、「着るものへの興味がなくなっている」「ファッションはもはや必要ない」という声が多く聞かれるが、そうではないと思う。身体にまとう存在として、意識するとしないにかかわらず、アパレルは自己表現の一つになっている。揺れるプリーツスカートとタイトなパンツをはいたときの心地は明らかに異なるし、ビビッドな色を組み合わせたときと、モノトーンでまとめたときとでは気分が違ってくる。ファッションが着る人の感覚や気分に働きかける役目には、見逃せないものがある。山口さんが「かわいいから買う」を大事にしているのは、ファッションの備えている価値を理解しているからに他ならない。

ただ山口さんは、最初からそこに気づいていたわけではない。バングラデシュと日本の間で〝喜びの循環〟をつくることに目的があったから、バッグのデザインは顧客の声を聞いて改良・改善しながら進化させてきた。創造的な発想から生まれるデザインというより、顧客の要望に応えたデザインと言っていいのかもしれない。

ところが「それだけでいいのだろうか」という疑問が徐々に湧いてきたという。顧客の声、店舗から上がってくる声に応じているだけでは足りないと感じ、自分の感性から湧き上がるものをデザインしようと考えた。

「バングラデシュで感じた風の心地よさ、咲き乱れている花の美しさを表現しようと、『自然の美』というコンセプトのもと、最初は花にインスピレーションを得たバッグを作りました」(山口さん)。花びらをモチーフに、黒やベージュといった地味な色が主流だったラインアップに、赤や黄といったビビッドな色を使った新しいデザインを加えることにした。そのためには革を染める大きな投資を行わねばならない。社内で反対の声も上がったが、副社長を務める山崎大祐さんのサポートもあり、何とか説得して挑んだ。

「今までとは異なる層のお客様が買ってくれるようになり、感覚的な発想から生み出したものが大事ということがよく分かりました」(山口さん)。その後も、ブルーとピンク、オレンジとイエローなど、2色のグラデーションを用いた長財布のシリーズなど、山口さんの感性を生かしたデザインを発信している。

「ｉｒｏｄｏｒｉ」と名付けられたグラデーションのシリーズは、財布やカードケースなど小物を中心に展開しているが、カラフルな色合いが店頭で存在感を放っている。発想の原点は日本の自然。四季に彩られた風景の美しさからインスピレーションを得たという。独特のニュアンスのある色が徐々に淡くなり、もう一つの色と重なりながら、再び徐々に濃さを増していく。ここまで繊細なグラデーションの革小物は、あまり見たことがない。デザイナーの創造性が使い手の心を動かし、ワクワクさせる。そういう力を持った商品になっているのだ。

また、空からインスピレーションを得た「yozora」というシリーズは、独特なニュアンスを持った深みのある色が使われている。柔らかくなめされた革をシンプルなトートバッグ型に仕立ててあり、創造性と使い勝手が共存した上質なデザインが施されている。

「当初から続けてきたラインアップは〝シンプルライン〟、感性から作っているラインアップは〝コンセプトライン〟と名付けているのですが、後者が99%を占めるまでになってきました」(山口さん)。立派なファッションブランドとして勝負しているのだ。

「マザーハウス」の企業理念は「途上国から世界に通用するブランドをつくる」だ。途上国の存在なしには語れないのだが、それは援助や寄付といった発想ではなく、ともに手を携えてビジネスをつくっていくという意思による。「世界に通用するブランド」という意味では、感性から生み出す創造性はなくてはならないものであり、そこを担っているのがデザイナーとしての山口さんの役割でもある。

社会貢献や環境意識はこれからの企業活動において外せないものだ。しかし、正論を振りかざし、理屈が前面に立っているブランドを見ると首をかしげたくなる。サステナブルを極端に突き詰めていくと、企業活動そのものを否定することになりかねないから。そこをわきまえたうえでのサステナブルであることを忘れてはならない。

企業が行うサステナブルは、「サステナブルブック」のようなものを作ったり、サステナブルにまつわる自社の活動を喧伝（けんでん）したりすることではない。声高にうたわずとも行動していくことが肝要ではないか。事実＝ファクトを積み上げていくこと、そのファクトを通して、誰かが喜ぶ姿を目の当たりにすることから生まれると思うのだ。

もう一つ、忘れてならないのは質の問題だ。サステナブルというと、いらないものは全てそぎ落とす、シンプルこそ美徳というイメージがつきまといがちだが、それだけではない。豊かな気持ちで暮らしていくのに、質は外せない。丁寧に施された手仕事やハイテクを駆使した機能性、豊かな感性に彩られた美しさ、使い勝手に配慮したきめ細かさなどは、暮らしに潤いを与える大切な要素であり、ファッションが忘れてはならない領域と言える。そしてこの文脈で企業活動を行い、成果を出しているのが「マザーハウス」なのだ。

なぜやりたいことをやりきらないのか

山口さんは「マイノリティーにも生きる価値がある」という思いを抱き、「マザーハウス」を立ち上げ、成長させてきた。1年の半分以上を過ごしているバングラデシュで教えられたのは、「明日に向かって必死に生きる人の姿」だったという。これが「恵まれた環境にいるにもかかわらず、なぜやりたいことをやりきらないのか」と自分に問いかけるきっかけにもなった。

今、山口さんはバングラデシュに新たな工場を建てるプロジェクトを進めている。2000〜3000人が働くというから大層な大きさだ。より良いものづくりができ、働く人が誇りを持てるように、自然を含めた環境の良い場所に心地よい工場を造りたいという長年の思いを、いよいよ形にするのだ。

山口さんが志してきた「楽しい学びの場」も設ける予定だという。「バッグの職人を育成する学校にするのか、現地の子どもたちが通える場にするのか、少し迷っています」とにっこり。人が成長していくには、学びは大きな礎（いしずえ）になるものであり、自信や誇りにつながっていくという思いがそれを支えている。

「これができたら私の一生の思いが、ほぼ全て実現するのです」と山口さんは言うが、恐らくその先に、また別のゴールが見えてくるに違いない。夢を語る表情が輝いて見えた。

異色のファッション紙編集長は元事件記者　奇抜な格好で周囲あ然

村上要　「WWDJAPAN」編集長

「WWD（Women's Wear Daily）」は、米国を発祥とする1910年創刊のファッション業界紙。歴史と権威を備え、確固たる地位を築いてきた媒体で、日本版の「WWDJAPAN」は79年に創刊された。

「エディターズレター」と題したメルマガも含め、編集部員が署名付きで業界への思いを発信しているのだが、タイトルを見て少しどっきりし、書き手を見ると編集長の村上要さんであることが多い。

「WWDJAPAN」の村上要編集長は1977年静岡県生まれ。東北大学教育学部を卒業後、静岡新聞社に入社。退職後は渡米し、ニューヨーク州立ファッション工科大学でファッション・コミュニケーションを学ぶ。現地でのファッション誌やライフスタイル誌の編集アシスタントを経験後、帰国。INFASパブリケーションズに入社し、2017年「WWDJAPAN.com」編集長に就任。21年4月、プリント、デジタルメディアを統括する「WWDJAPAN」編集長に就く

「言っているアナタが『気持ちいい』はダメ」

「言っているアナタが『気持ちいい』はダメ」と付された文章は、「WWDJAPAN」の「サステナブルビューティ特集号」に関連するもの。「（この特集では）正論とは違う、〝自分ごと化〟の一例を紹介できればと思います。興味・関心を高めたり、共感してもらったり、人々を巻き込んだりするために、正論になりがちな一方的な発信を軌道修正してみませんか？」と付されている。サステナブルというテーマを語る場合、ともすると大義名分を振りかざしがちだし、大企業がCSR（企業の社会的責任）活動として声高にうたっているのをあまり気持ち良くないと感じていたので、このサジェスチョンにうなずかされた。

また、「趣味さえ環境の影響を受けていると聞いて」という文章では、「私の趣味は、スポーツクラブでのステップ&エアロビ、自転車、それに第2次世界大戦にまつわる書籍を読むこと、でしょうか」という軽やかな語り口で始まり、自分で選んでいるつもりの趣味も、経済的もしくは文化的な「資本」の影響を受けているという、フランスの社会学者ピエール・ブルデューの『ディスタンクシオン』の引用に及ぶ。そして、早い時期に「ファッション育」を子どもが受ければ、「（ファッション業界に）憧れ、自ら調べ、モチベーションが高い状態で業界にダイブ。結果、業界に大いに貢献する可能性が高いのです」と、「ファッション育」の意義と必要性に触れている。

アパレル業界の記事というと、カタカナを多用した感性的なものか、ビジネスを切り口とした堅いものが目に付く。だが、村上さんの記事はそのどちらでもない。さらりと読んで考えさせられる。そこまで持っていく力を備えている。

昨今、アパレル業界が直面している課題について、「ここが悪かったからこうなった」「もっとこうすべきだった」とネガティブな部分を取り上げたり〝べき論〟を語ったりする記事が目に付く。そういったものを見るにつけ、苦しい転換期にあるだけに、「もっとこうしたら」「こういう可能性があるのでは」という提言があったらいいのにと思っていたが、そこを村上さんは実践している。上から目線ではなく、フラットな感じのコメントなのも、好ましさにつながっている。ファッションが好きで、そこには未来への可能性がある。もっと良くなれるはずという意思が垣間見えるのだ。

村上さんとのご縁の始まりは、「カタヤブル学校」というプロジェクトを始めたときに、「WWDJAPAN」の取材を受けたことだった。お会いした途端、まずはそのファッションにくぎ付けに。ド派手な色使いでボトムは短パン。たくさんのピアスを付けて薄いメークを施している。奇抜なのだが、いわゆるファッションオタク風でもないし、〝ギョーカイ人〟特有のトレンド先端のスタイルでもない。話し言葉もしぐさも礼儀正しく親しみやすい。村上さんの人となりと溶け合い、独自のキャラクターを立たせている。どうやって、このユニークな人物が出来上がったのかを知りたくなった。

静岡で生まれ育った村上さんは、本人いわく「そつのない子」だったという。一人っ子で、相手の求めるものを「察する」のが得意だった。受験勉強も同様で、「日本の教育界が求めるものを察すればよかったので、わりと出来が良かったのです」（村上さん）。一方、察するのが苦手な人や勉強ができない子を見下すところがあった。それが原因で高校3年生のときにいじめに遭い、学校に行けなくなった時期もあったという。今の村上さんからは、ちょっと想像ができない話でもある。

そんなこともあって、東京大学を目指したがかなわず、東北大学の教育学部に進み、仙台でファッションにハマった。バイトをしまくって服を買っていたという。「ヴィヴィアン・ウエストウッド」「ア・ベイシング・エイプ」「シンイチロウアラカワ」など、世界のトップブランドから日本の先鋭的なストリートブランドまで、「とにかく目立つ格好をすることが気持ち良かったんです」（村上さん）と語る様子に屈託はない。「ファッションが好き」を自覚したうれしさが伝わってくる。

大学時代に新入生向けのパンフレットを作ることになり、その編集を担当した。先生や先輩の話などをまとめたところ、目にしたタウン誌の編集者から、街歩きの連載をバイトでやってほしいと声がかかり、人の話を聞いて伝えることが面白くて、編集の仕事に就きたくなったという。

職場はファッションショーじゃない

そして就職。当時の東北大学教育学部は伝統的に国家公務員か教員、大学院に進む人が大半で、企業に就職する人はほとんどいなかったそうだ。就職についての情報感度が低い中、村上さんが漠然と憧れていた「メンズノンノ」などを発行する出版社の入社試験は終わってしまっていた。同じマスコミということで受験した1社が、地元紙である静岡新聞。事件記者としての仕事をスタートしたのだ。

記者になってもファッションスタイルは変えたくなかった。スーツは着ない、ネクタイは派手、クルマは「ローバーミニ」。派手で奇抜、記者らしくない格好で警察や事件現場に出入りしていたというから勇気がある。東京の新聞社でも無理そうなのに、地方の新聞社でそれが通用したのだろうか。上司からは「職場はファッションショーじゃない」と注意され、警察では非行少年を引き取りに来た兄弟扱いされたこともあったとか。

それでも自分のスタイルを変えなかった。「今思えば青臭すぎる反発ですが、上司に注意されると『皆と同じようになったら、それはただの平均点。会社が望むのは、平均点の人材なんですか？』と反論するなど、とにかく面倒臭かったと思います」と笑う。確かに生意気だが、村上さんにそう言われると笑みが浮かぶ。何だか分からないが許してしまうちゃめっ気のようなものがあるのだ。

ファッションにまつわる取材や記事も諦めなかった。手作りファッションのスナップ企画やモーニング娘。の衣装に端を発した県内のクリーニング店事情など、無理やりファッションとこじつけ、我が道を行こうとしていた。望まれる事件記事は〝それなり〟に。ファッションが好きという思いに強いものがあったし、流行という意味でのファッションだけではなく、社会や暮らしと関わっている存在としてのファッションの視点は、その頃の経験が根っこにあるのかもしれない。

ただ、事件記者の仕事を続けていくうちに、「自分は人の不幸で飯を食っているのでは。これは自分がやりたかったことではない」という疑問が徐々に膨らんでいったという。

ニューヨークでファッションジャーナリズムを学ぶ

静岡新聞を3年で辞め、ファッションの世界におけるジャーナリズムを学びたいと、ニューヨークにあるFIT（Fashion Institute of Technology＝ニューヨーク州立ファッション工科大学）に入学した。ファッションデザインについては、欧米に多くの学校があるが、ファッションビジネスとなると米国が強い。中でもFITはトップクラスに位置している。「公立だったので自分でためたお金で何とかなるかもと思いました」と村上さんは言うが、入るのも卒業するのもそう簡単ではない。

FITではジャーナリズムを含むコミュニケーション論を専攻した。ファッションという領域において、伝えるべきことを切り取り、的確に書いて理解してもらうことを学んだのだ。「ニューヨークでは、ファッションはもちろん、人種や価値観を含め、多様な人がいることを肌身で体験できたのが大きかった」(村上さん)。正しいか正しくないか、良いか悪いか、優れているか優れていないか、メジャーかマイナーかという二項対立でなく、多様なものそれぞれに意味がある――村上さんが持っている価値観は、ニューヨークの地で幹を太くしていったのではないか。

FITを卒業し、インターンとして入ったのは、「ヴォーグ」などの雑誌を扱っているコンデナストだった。映画『プラダを着た悪魔』の世界そのまま、使いっ走りの激務が続いたが、半年ほどで担当していた雑誌が休刊、あっけなくクビになった。

次に入ったのは、ゲイ向けのライフスタイルマガジン「アウト」。ファッション部門のアシスタントとして採用されたのだ。可処分所得が多い男性向け雑誌ということで、ファッションはもとより、時計、香水、クルマ、インテリア家具など、潤沢な広告が入ってくる。ファッション誌の最前線でさまざまな経験を積めたのは大きかったという。こうして、4年弱の米国生活を終えた。

門外漢だからこそやれることがある

帰国した後の就職先に「WWDJAPAN」を選んだのは、大好きなファッションと、自分が学んできたジャーナリズムを結びつけるのに最適な媒体ととらえたからだ。

最初に配属されたのは、タイアップ記事を制作する部署だった。その後、同紙が出しているマガジンを担当したことも。「半年に1回出す雑誌の編集を丸ごと任せてもらいました」。ユニークな新しい企画は、ほとんどやりたい放題だった。

たとえば、子ども服特集を組むにあたり、人を引きつける表紙ということから思いついたのが「ハローキティ」を載せること。ただこれを正攻法でサンリオに持ちかけると、それなりの対価や制約がついてくる。そこでアイデアを練り、「キティにラグジュアリーブランドを着せて登場させる」ことを思いついた。サンリオも「そのプランならハローキティの新しい一面を見せられる」ということで同意し、豪勢なファッションをまとったハローキティが表紙を飾ったのである。もちろん雑誌はよく売れた。子ども服→ハローキティ→ラグジュアリーと、業界紙らしからぬ発想が功を奏したのである。

その後、ほぼ1年単位で部署を異動したので、仕事は次々と変わった。「どれも楽しかったし、勉強になりました」と村上さん。が、本当にそうなのかと疑問が湧いてくる。

がっかりしたこと、迷ったことはなかったのかと突っ込んだところ、「WWDビューティ」の創刊に関わったときは、全く分からない世界に不安を感じたという。すると先輩から「ビジネスニュースの本質は、ファッションもビューティーも変わらない」と言われた。コスメのトレンドや新商品の特徴を伝えるに終わらず、ブランドや企業が思い描く戦略を、商品や売り場、広告、売り方などを通じてどう表現していくのか。そこを取材して書くのが自分の仕事であり、世界が広がった感があったという。

なぜ服が売れなくなったのか

2017年、村上さんは「WWDJAPAN」のウェブ媒体である「WWDJAPAN.com」の編集長に。その頃から、「担っている役割はファッション&ビューティー業界の裾野を広げること」と強く感じるようになった。業界の中にとどまることなく、幅広い層に情報が届くことを意識している。編集長になり、手掛けるテリトリーが広がったこともあるが、それ以上に、世の中の動きを見ていて、服が以前のように売れなくなってきている。それはなぜなのかを考えたことが大きかったという。

「業界にいる僕たちが、特殊な存在と自覚することが大事」という村上さんの言葉にドキッとさせられた。そもそも皆が高額品に等しく興味を抱いているわけではなく、誰もがブランドものを着たいと思っているわけではない。「10万円もするコートを買ったり、30万円以上の時計を買ったり、カタカナのブランド名が普段の会話の中でたくさん登場するような人は、世の中のほんの一部にすぎない」と村上さん。かつてはトレンドにのっていることがかっこ良さの一部を担っていた時代もあったが、今はそうではなくなっている。業界内の閉じた世界にいると、そういう事実を忘れがちなのだ。

アパレルの周辺を取材していると、過去からのやり方を踏襲しているだけという企業は少なくないし、コロナが終われば元に戻ると考えている向きもある。しかし「この趨勢はコロナ以前から進んでいたことであり、逆行することはもはやない。世界に目を開いていれば、過去の成功体験は通用しない時代が迫りつつあることにもっと早く気づけたし、そこに向かって新しい試みを打てていたはず」と村上さん。時代はとっくに次のステージに向かっている。

若手ファッションデザイナーを取材しているときに、「上の世代（そこには私の世代も入っている）が安穏としていたことが、僕たちを取り巻く今の苦しい状況をつくっている」と言われたことを思い出した。反省する一方で、伝えていくべきことや、応援できることを考えねばと思ったのだ。「まだ伝えきれていないことがあるし、若い世代も含め、きちんと伝えるのが、ファッション&ビューティー業界の裾野を広げることにつながると思っています」と言う村上さんは、早くからそれを実践してきた。規模は大きくないものの果敢に道を切り開いている企業や強い志をもって前に進んでいるブランド、新世代のリーダーたちを、積極的に取り上げてきたのだ。

「〝伝える〟というより〝届ける〟に近い感覚、ユーザーのライフスタイルや情報の消費の仕方を想像しています」と村上さんは言う。その「届ける」には、上から目線で「伝える」のではなく、こちらから歩み寄って渡す姿勢が感じ取れる。軽やかな口語体で、近しい人とおしゃべりしているような気安さがあること、業界特有の専門用語やカタカナ用語が少ないことなど、村上さん独特の文体は、そこを意識してのことと思い及んだ。

ヒエラルキーで欲望をかき立てていた時代の終わり

昨今、アパレル業界の周辺には、明るい話題が少ないと感じる。これからの業界について、村上さんはどう見ているのか。

「そもそもアパレル業界は、ヒエラルキーによって人々の欲望をかき立ててきた。それが立ち行かなくなってきたのです」（村上さん）。アパレル業界をトレンド情報という視点でとらえると、約1年半前にトレンドセッターという職種がトレンド情報を出し、それを基に糸や布が作られ、1年前に展示会が行われる。ファッションデザイナーはそこからデザインを起こし、半年前にコレクションショーで発表する。

コレクションショーは、バイヤーやジャーナリストなど、限られた人だけが見ることができるもので、個人名が記載された招待状を持っている必要があるのだが、これは対価を払って手に入れられるものではない。ショーを見たバイヤーは次シーズンの服を選び、ジャーナリストは「今シーズンの流行は○○」といった情報を流す。業界は情報のヒエラルキーとともに回っていた。一般消費者は、メディアや店頭から発信される情報の流通のもと、服を買ってきたのである。

ところがここ数年、コレクションショーをデジタル配信するブランドが出てきて、誰もが発表と同時に見ることができるようになった。「クローズドでヒエラルキーにのっとって上から下に伝わっていた情報が、オープンでフラットなものになったのが大きな変化」と村上さん。特定の人だけが手に入れることができるという、情報の〝速さ〟や〝限定性〟の意味が薄まってきたのである。

〝1%から見るファッション〟を認め合うことが大事

一方で、マジョリティーだけをパイとしてとらえる旧来型のやり方が立ち行かなくなってきた。「マイノリティーを自覚し、それでも恐れず、誇れる社会になればよい。〝1%から見るファッション〟を認め合うことが大事」と村上さんは言う。1%を小さいととらえる向きもあるが、その1％を確実に獲得できれば、それなりの規模のマーケットでブランドを確立できる。要は明快な独自性という魅力によってファンの共感を得られるかどうかということだ。

「WWDJAPAN」では、さまざまなマイノリティーの目線からとらえたファッションも積極的に紹介している。日本ロリータ協会会長を務めるモデル兼看護師や、eスポーツプレーヤーなど、業界の外でファッションを楽しんでいる人なども登場。ファッション業界人が普段知り得ない世界を知ることもできる。

一方で、村上さんは、ファッション業界の外にいる人たちに取材すると「ファッション業界の人の反応が閉鎖的で怖い。品定めされている感じがする」という声をよく聞くという。「ファッションを楽しんでいる人にさえ『怖い』と思われてしまったら、私たちのことは一体、誰が愛してくれるのでしょう？」と村上さん。

業界外の人が入ってくると、その人のファッションを上から下まで見定める視線、分かる人だけが分かる会話などは、情報のヒエラルキーが成立していた時代の遺物といっても過言ではない。そうと気づいていないかもしれないが、こういう閉鎖性が業界をさらに狭くしているのではないだろうか。

「SNSの登場によって個人が自由に発信して反応を得られるようになり、閉鎖性や差別性があらわになってきたのは、業界を良い方向に向かわせるのではないか。一方で、誰もが〝自分の好き〟を諦めずに済むようになった」と言う村上さんは、〝1％から見るファッション〟というまなざしを大切にしている。

記者のパーソナルな視点でエモーションが匂い立つ

21年4月、村上さんは「WWDJAPAN」の編集長に就任した。ファッションとビューティー、プリントからデジタルまで、「WWDJAPAN」が発信する全ての情報のトップを務めることになったのだ。「ニュースとしてのスピード感は大事ですが、『速さ』以外のところで勝負することも考えないと。記者がパーソナルな視点から事実を積み上げ、結果としてそこに何らかのエモーションが匂い立つことを大切にしています」（村上さん）

〝パーソナルなエモーション〟と聞いて、これはニュースに限ったことではないと思った。マーケティングの領域で、ビッグデータを解析した情報をベースに組み立てた戦略が重要視されているが、新しい分野を切り開くときは、「誰か＝パーソナル」な「志や思い＝エモーション」が必要になってくる。「誰がどんな思いをもって」という視点は、何かをつくるときに欠かせない。

村上さんが目指しているのは、「ファッション＆ビューティーのコミュニティーのプラットフォームになること」だという。業界に軸足を置くものの、業界内外の人が集まって、さまざまな意見を言い合える場をつくることを目指している。

「上下や大小といったヒエラルキーがない、オープンでフラットな環境でアイデアや議論が行き交うことで、業界の魅力や価値を改めて自覚したり、高めたりすることに貢献できれば。そのハブとしてメディアが果たせる役割は大きい。ファッション&ビューティーに限って言えば、日経新聞にも負けないメディアになれるかもと自負しています」という一言が頼もしい。

実は村上さんは週に1回、障がいのある子どもたちが学童保育を終えてから保護者が帰宅するまでの時間を一緒に過ごしている。「知らないうちに、似たような環境で似たような人とつながっていることが多いと思って始めたこと。全く異なる環境に身を置くことで、自分に対して客観的になれるから」と言う。行為として続けていくのは簡単なことではない。

創造性は評価と拮抗しながら成長していくもの

ファッションジャーナリズムに対し、長年抱いてきた疑問もぶつけてみた。日本では、欧米のようなファッションジャーナリズムが確立されないまま、今に至っている。「〇〇が今シーズンのトレンド」といった記事が多く、デザイナーの創造力に対する評価や、社会との関係性に触れている記事が少ない。

「評価する側とされる側について、良い意味の拮抗が生まれるためには、尊重し合う関係が必要ですが、それが確立されていないのが残念です」と村上さん。コレクションショーを見てネガティブな評価をしたために出入り禁止になったり、広告タイアップがあるからネガティブな評価はできなかったりするなど、内輪の事情が悪い意味で働いているのだ。

欧米はどうなのか。もちろん、同様の事情が多少は働くものの、そもそもの根っこのところにジャーナリズムを認める文化が根づいていて、ジャーナリストの批評性が尊重されるし、そのレベルは日本と格段に違う。尊重されるということは、相応の責を負うことでもある。欧米のファッションジャーナリストは、世の中の潮流や社会経済の動向など、幅も奥行きもある見識をもって批評する才を持っている。

あるファッションデザイナーと話していて、「村上さんは良い悪いをはっきり伝えてくれるので信頼している」と聞いたことがある。米国のジャーナリズムに籍を置いていたこともあるからだろうか、村上さんの記事には良い意味での批評性があり、だからこそ読まれているのだと思う。

「創造性とは本来、評価と拮抗しながら成長していくもの。今後は日本のファッションジャーリズムがより強いものになっていってほしい」という言葉に明るさを感じた。

ファッションが拡張していく

最後に聞いたのは、ファッションが意味するところだ。「ファッションは欲望の化身と言っていいのではないでしょうか。自己表現という欲望を体現するものとして、ファッションは存在している」（村上さん）。身体を覆うものがファッションだと位置づけられているが、以前に比べると、その価値が変わってきている。

「今はリアルな衣服が主にその役割を担っていますが、Ｚｏｏｍの背景や、ＬＩＮＥのスタンプなども自己表現のツールに含まれるようになっています。これからますますファッションが意味する領域が拡張していくのでは」（村上さん）。形は変わろうが、人の欲望をかき立てるのがファッションであり、そこに寄与していくのが村上さんの仕事であることに変わりはない。

ぶっ飛んでいながら原理原則を貫く、鋭く手厳しい視点をもって温かいハートで語っていく、冷静な理論理屈と豊かな感性を携えている。村上さんの見ているファッションの未来には、希望が宿っている気がした。

五輪開会式のMISIAの衣装を作った「トモ コイズミ」の独自性

小泉智貴

「トモ コイズミ」デザイナー

幾重にも連なったフリルの群れ、カラフルな色が生み出すゴージャスな世界観。小泉智貴さんがデザインする「トモ コイズミ」は、強い独自性を放っている。日常着として大量に販売するものではなく、基本的には一点ものを中心に展開している〝オーダーメイド＝オートクチュールブランド〟だ。

小泉さんは「トモ コイズミ」を立ち上げ、早くから才能を認められてきた。ロンドンを拠点に活躍しているスタイリスト、ケイティ・グランドの支援を得て、ニューヨークコレクションにデビューして高い評価を受け、ケイティ・ペリーやオークワフィナなどセレブリティーたちからもオーダーが入った。

コスチュームデザイナー、「トモ コイズミ」デザイナーの小泉智貴氏。1988年、千葉県生まれ。幼少期から独学で縫製を始める。千葉大学在学中より自身のブランド「トモ コイズミ」を立ち上げ、デザイナーとして活動を開始。国内外の女優や歌手からの支持も厚く、カスタムメードのコスチュームやウエディングドレスを多く手掛けている（写真／ Tim Walker）

２０１９年には、ニューヨークのメトロポリタン美術館で開催されたファッション展「キャンプ：ファッションについてのノート」の展示作品に選ばれ、同美術館のコレクションとして収蔵されることになった。ファッションデザインとしての作品性を評価されてのことだ。

同年、毎日ファッション大賞選考委員特別賞を受賞。20年には仏ＬＶＭＨモエヘネシー・ルイヴィトンが主催する賞「LVMH Prize for Young Fashion Designers」のファイナリストに選ばれた。一方、「エミリオ・プッチ」から依頼され、コラボレーションした服が話題に。国内に限らず、海外でも活躍の場が広がっている。

ファッションデザイナーが舞台衣装やアーティストのコスチュームを手掛けること自体は珍しくない。ココ・シャネルや川久保玲をはじめ、数多くのデザイナーがダンスやバレエの衣装デザインを手掛けてきた。だが、コスチュームデザインを基軸にしながらファッションの世界で評価を得ているファッションデザイナーは、世界を見回してもそうはいない。その意味で小泉さんは、独自のポジションにいると言っても過言ではない。

「コスチュームであってもファッション性があること、雑誌で言えば広告ページでなく、編集ページで取り上げてもらうことを意識してきました」。コスチューム＝衣装としてのファッションは、広告ページやカルチャーページに掲載されることが大半だ。だが、「ヴォーグ」をはじめとする数々のファッション誌は、小泉さんの作品をファッションページで取り上げている。

今や「トモ コイズミ」は米国の歌手レディー・ガガや日本の女性ユニット「Perfume」、タレントの渡辺直美など、国内外のアーティストたちが舞台やパーティーでまとう衣装を提供している。そして、21年7月23日に開催された東京五輪開会式で「君が代」を歌ったMISIAの衣装も、小泉さんが手掛けたものだ。

強烈な「個」が見えるファッション

小泉さんにお会いする前、優美で華麗な服を生み出すデザイナーだから、アトリエはさぞやゴージャスなインテリア空間で、ご本人も一分の隙もない方ではと緊張した。だが、予想はいい意味で裏切られた。

代々木公園近くにあるアトリエの扉を開けると、いきなり服を制作している現場が目の前に現れた。ミシンがあり、布の群れや縫いかけの服のパーツがそこここにあふれている。小泉さんはここで、自身がデザインした服を縫って作り上げるという。ものづくりの現場ならではの、デザイナーの熱量が伝わってくる。

そして小泉さんは、自分のこと、ファッションのこと、創作のことをざっくばらんに語ってくれた。若くして名を上げたのに、取り澄ましたところがない。服やデザインが好きという思いが、言葉の端々にあふれている。このエネルギーが、デザインの源泉にあると感じた。

目の前にあるドレスを「着てみたい」とお願いしたところ、快く承諾していただけた。モデルでもセレブでもない身体にどう映るか不安だったが、羽織った瞬間、気持ちががらりと変わった。艶やかなフリルが身体を覆うことによる格別な高揚感——気球に乗っているかのように、気持ちがふんわり上がっていく。鏡を見ると別人のような自分がいる。

ファッションが担っている役割、つまり服をまとう意味は、寒暖の調節や動きやすさといった機能だけではない。かといって、豊かさやセンスを人にひけらかすことでもない。着た人を別の次元に連れていってくれる、感情に働きかけるものであり、それは創造性によるところが大きいと感じた。

つまり、デザイナーの創造性に触発され、自分の気分や心地が変わってくる。これはファッションの持っている大きな役割の一つだと思う。にもかかわらず、効率化や利益主義が優先され、大事なものを置き去りにしてしまった。それがアパレル業界の元気のなさにつながっている気がしてならない。

新しいことをやろうとすると孤独になると自覚していた

もともとファッションは、独自性と創造性の最たるもの。振り返ってみれば、1970年代から80年代にかけて、原宿や青山にはマンションの一室で服をデザインしている「マンションメーカー」が数多くあり、そこからデザイナーブランドが生まれていた。同時に、服や雑貨を扱っている小さな路面店がポツポツできて、今のセレクトショップの発祥となっていったのである。

「服が好き」が根底にあったうえで、美しいものを作りたい、着てもらいたいという強烈な欲求がファッションを生み出し、人の心を動かしていた。もちろんビジネスである以上、ニーズがないものを生み続けても意味がない。だが、売り上げと利益を確保することが大前提にあり、それを達成するために売れ筋を作って販売するという過剰なビジネス志向が、ファッション本来の「服が好き」から来る創造性を薄めてしまったのではないだろうか。

「カラフルで派手なものが好きで、アート的なファッションを志向しているところがあります」と小泉さん。オーガンディのフリルを連ね、とてつもない造形美を生み出しているのが、「トモ コイズミ」の特徴だ。ビビッドな色使いに圧倒されるが、それが奇抜に向かうのではなく、艶やかな優美さを生み出している。見たことがない世界観を構築しているから認められているのだが、幅広い市場性を持っているかというとそうではない。小泉さんは、自分の個性を認識したうえで、それがどこで生かせるのかを想定し、着実な成果を出してきた。

新しいことをやろうとすると孤独になることを、小泉さんは早いうちに自覚していた。「幼い頃から、たとえば紅白歌合戦に登場する、舞台装置みたいな巨大なドレスに憧れていて、今も自分のデザインの特徴だと思っています。一方、日本には需要や市場があまりないところでもあるととらえていました。だからといって方向性を変えるのではなく、違う市場を探すことで、自分の〝やりたい〟を生かそうとしてきました」(小泉さん)。

日常着をデザインするのではなく、衣装＝コスチュームデザインへと向かった。大学時代に自身のブランドを始め、衣装のデザインをやってみたいと機会があれば口にしてきた。そういった活動が奏功し、知り合いの縁もあってＰｅｒｆｕｍｅからダイレクトに衣装デザインの依頼が来たという。それまでも、アルバイトで衣装や撮影に携わってはいたものの、あくまで役割はサポートだった。それが今度は自分で進めなければならない。制作も打ち合わせも1人でやり、依頼にどう応えるかを現場で学んでいった。

「自分のデザインが、憧れているアーティストに着てもらえる喜びは、ひそかな自信につながりました」と小泉さん。現場でゼロから1人でやってきたことが、創作の土台を支えている。

「これをやりたい」と思うもののニーズが少ないからといって、方向を変えたり諦めたりするのではなく、〝やりたい〟が求められているところを見つけていく。小泉さんの仕事が海外や日本のエンターテインメント界に広がっているのは、自身の創造性のありかを探した成果と言える。

ニューヨークコレクションにデビュー

世界への扉が開いたのは、2019年の初めだった。東京で年2回行われるファッションウィークのイベントで「ヴォーグ イタリア」のサラ・マイノに提案する機会があり、マイノがその様子をインスタグラムにアップした。それがケイティ・グランドの目に留まり、自身が編集長を務める雑誌「ラブ」に小泉さんの服を掲載したいと依頼が来た。それをきっかけにケイティとチャットする中で、ニューヨークで発表の場をつくろうとなったという。

「当初は展示会を行うくらいの規模と思っていたのですが、次のニューヨークコレクションに参加してみない？といきなりオファーされて驚きました」（小泉さん）。急な話で時間は限られている。3週間ほどでやり遂げなければならないというタイトな条件だったが、大速攻でデザインして間に合わせた。

場所は「マーク ジェイコブス」のショップで、モデルやメイク、現地でのスタッフなども、全てケイティ・グランド側がサポートしてくれたという。若く優れた才能を見いだして世に送り出し、サポートしながら成長を応援する。そういった姿勢は、ファッション業界にとって大事なことだ。景気がよかった時代のアパレル業界では、百貨店やファッションビルが、若手のデザイナーの服をセレクトショップ的に扱う売り場を設けたり、大手アパレル企業が新進気鋭のデザイナーブランドを立ち上げたりと、育成応援的な活動を行っていた。

1994年、伊勢丹新宿店が1階中央のプロモーションスペースに設けた「解放区」はその典型例。知名度がさほど高くないデザイナーブランドの商品を売ったのである。インキュベーション(ふ化)という意味合いから、売り上げや評判がよいブランドは、常設の売り場に昇格する道も敷いていた。ここから実際、皆川明や若林ケイジといったデザイナーが世の中に出ていった。米国発の「アナスイ」も、その後伊勢丹と独占契約を結び、大きなブランドとして成長していったのだ。デザイナーのインキュベーション装置としての「解放区」がビジネスとして成立し、業界に残した財産は大きかった。

ところが服が売れなくなり、余裕がない中、こういったインキュベーション的な活動を縮小せざるを得なくなってきた。売り上げが取れないから余裕がない→若手を応援・

育成しづらい↓創造的なファッションが伸びづらい↓業界の魅力がなくなるといった悪循環に陥っていったのだ。若いデザイナーを育てていくことは、業界の未来をつくっていくことであり、真剣に考えなければいけないことであるにもかかわらずだ。

欧米のアパレルは産業としての歴史が長く、創造性に対する評価が根づいていることもあるのだろう。若手を登用したり、サポートしたりする行為が当たり前のように行われている。しかもSNSの存在によって、規模やキャリア、国籍を問わず、世界中のクリエイターのインキュベーションがダイレクトに行われる。小泉さんがそうだったように、才能があると思ったら国籍を越えてサポートする。そういう行為が根づいているのだ。自社だけでなく、アパレル産業の未来をつくっていこうという意識の表れでもある。

それに比べれば、日本のアパレル産業の歴史は浅いが、日本がアジアのファッションリーダー的存在を担っているのは事実。国内に限らずアジアのアパレル産業の未来をつくるためにも、新しい才能のバックアップに力を注いでほしいと思う。

〝ふわふわドレス〟は問屋街で見つけた「ハギレ」から

小泉さんのファッションの独自性、そのルーツはどこにあるのか。透ける素材のオーガンディにひだを寄せ、フリルにしたものを連ねて立体的な造形を作る。独自性の強いスタイルが生まれたのは、２０１７年あたりのことだった。昔ながらの繊維の問屋街である日暮里の布地屋さんを巡っていて、色とりどりのオーガンディが並んでいるのが目に留まった。

反物から量り売りされる布地は、最後に残ったハギレの部分を定価より安く売っている。オーガンディのハギレがたくさんあるのを見て、これを使って服を作ろうと思いついたという。

店の人に見本帳を見せてもらうと、１７０種類もの色がそろっている。少量ずつ色違いのオーガンディを組み合わせることで、華やかでカラフルなデザインができると考えた。具体的には、土台となる服の上に、リボン状に縫ったフリルを付けていく。ものによっては途方もない手間と時間がかかるが、基本的に小泉さんは全て自分で縫っている。頭の中にあるイメージを、実際に形にするまで一貫して行っているのだ。

1着あたりでおおよそ50～60メートル、ものによっては１００メートルもの布を使うというから驚きだ。ゴージャスなボリューム感を備えたドレスの数々は、目にすると高揚させられ、豊かな気分を味わわせてくれる。オリジナリティーを突き詰めたデザインが心動かす力を備えている。

「20年から21年にかけて、東京都現代美術館で開催された『石岡瑛子展』に強烈に触発され、従来の枠組みにとらわれないクリエイティビティーのあるデザインをやっていこうと、改めて思いました」と小泉さん。石岡瑛子は、グラフィックやプロダクト、ファッションというデザインの枠組みを越え、映画やアートなどと関わり、壮大な世界観を表現していったクリエイター。映画監督のフランシス・フォード・コッポラは『ドラキュラ』の制作にあたり、衣装に限らず映画全体の美術を任せるほどの勢いで石岡瑛子とタッグを組んだ。ファッションを起点に枠組みを越えていった創造力のなせる業だ。

「ファッションとは、たとえ日常的に着られるものでなかったにしても、圧倒的なエネルギーをもって、着ている人だけでなく、それを見た人、触れた人にも影響を与えるものととらえています」と小泉さん。その意味で、国内をすでにはみ出して活躍している小泉さんの仕事は、大きな可能性を秘めている。

クリエイティビティーのある衣装デザインを

世界のひのき舞台で活躍するようになった小泉さん。だからこそということもあるのだろう、最近特に日本の伝統やその中における精緻な手仕事に影響を受けているという。京都でのコレクションショーでは、日本ならではの繊細な色使いや古くから伝わるモチーフを採用するなど、「日本のカルチャー・クリエイション」を盛り込んだ。クラシックとモダン、西欧と日本、洋装と和装、相対するように思えるものが、小泉さんというフィルターを通して融合・昇華されている。確かなオリジナリティーを持ちながら、世界に打って出るだけのパワーを持ったコレクションだった。

よって立つところとしての日本を大切にする。グローバルだからこそのローカリティーは、コロナ禍でくっきりと際立ってきた事実でもある。均質なものを大量に作り続けていくことは、地球環境にとっても、人々の未来にとっても、どこか無理があるし、創造的なことではない。さまざまな国や地域に根づいてきた独自性を見直し、それぞれを生かす方向で最適な循環を生み出すことが大切ではないか。そんな価値観を持った人が次々に出てきていると思う。

どのような経緯を経て、今に至ったのか。小泉さんが生まれ育ったのは千葉県木更津市。ファッションに関心を持ったのは、お母さんがおしゃれで、叔母さんがデザイナーズブランドで働いていたなど、環境が与えたものが大きかったという。幼稚園のときに伊勢丹新宿店で「タケオキクチ」を買ってもらったのを覚えているというから、相当だったと想像がつく。

小学生でファッション誌を読むようになり、中学時代は古着をコーディネートするなどして、自分なりのおしゃれを楽しんでいた。写真集や本が大好きで、近所の図書館に通い詰めていたという。

“他にはないもの”を究極まで突き詰めるのがファッション

中学2年のとき、ジョン・ガリアーノがデザインした「クリスチャン・ディオール」のオートクチュールに出合い、これこそがファッションだと衝撃を受けた。オートクチュールには、デザイナーの卓越した創造力と職人の精緻な技が込められている。「他にないものを究極まで突き詰め、服という形に昇華する力に圧倒され、ファッションの道に進もうと決めました」（小泉さん）。

クリスマスプレゼントにミシンをねだり、独学で服を作り始めた。「母が何も言わずに買ってくれたのはありがたかった」。中学生男子がミシンを使って女性ものの服を作ることに抵抗も偏見も持たなかったお母さんの度量は大きい。

ただ、同じような嗜好や興味を持つ友達がいなかったこともあり、何とはない閉塞感を抱いていた。それが高校に入ってクラブやパーティーに出入りするようになり、カレシもできて知り合いの輪が広がり、音楽、写真、ファッションなど、カルチャーについて語ることが楽しくなっていったという。

そしてコスチュームデザイナーのアシスタントを務めたり、文化祭でファッションショーを企画したりと、ファッションにまつわる活動を積極的にやるように——高校生のファッションデザインコンテストで3位に入賞したこともあったという。

将来はデザイナーか編集者になりたいと思い、専門学校で学ぶより、まずは4年制大学に行って必要があれば専門学校へ行けばいいと考え、千葉大学の教育学部で美術を学ぶことにした。グラフィカルな視覚効果を意識した色使いやバランスを取る感覚は、そこで養われたものの一つと言えるだろう。

高校時代から始めていたファッションにまつわる活動は、大学生になってさらに広がった。ファッション系サークルに所属してコレクションショーを開催したり、展示会で作品を発表したりといった活動を積極的にやっていたのだ。

それに加え、美術家やスタイリストのアシスタント、メークアップアーティストの荷物持ち、洋服のお直しの手伝いなど、ファッションにまつわるさまざまなアルバイトをして、現場を見聞きしながら学んでいった。

ところが、いよいよ就職活動を始めるタイミングでリーマン・ショックが起きた。「大手企業に入っても安定するわけではないから、自分がやりたいことをやってみよう」と、どこかの組織に所属したり誰かに師事したりせず、コスチュームデザイナーになると決めたのだ。

クラブに自分でデザインした服を着て行ったら、それがストリートスナップのサイトに掲載され、セレクトショップのバイヤーから「置かせてほしい」と連絡をもらったことも。そうしているうちに、女優やミュージシャンから衣装として着たいという依頼が舞い込むようになり、ファッション誌が取り上げるようになっていった。

自己流で学んだうえに、いきなり1人で始めて今に至るのは、運や志も働いているが、確かな独自性と創造性を備え、それを積極的に発信していたからだ。

自分の持つ力を社会に還元していきたい

一方で小泉さんは、若手のデザイナーを応援していく活動を継続的に行ってもいる。「作った服を誰にどう見せるのか、どうやって伝えるのかといったあたりで、僕ができることをアドバイスしたり、人脈をシェアしたりと、大げさな支援ではないのです」と控えめだが、誰でもできることではない。具体的には、数人の若手を集め、小泉さんのアトリエで話し合ったり、人を紹介したりという会合を行っている。

自身が服飾学校を卒業していないことも含め、横のつながりがあまりない中、頑張っている自分を応援してくれる人たちがいた。「賞を頂いたり、ニューヨークに呼んでいただいたりという経験を積み、権威のある方に認めてもらうことで得られる自信と、それによって世の中が開けていくのを体験することができました。良い意味でのリーダーシップを学んだのです」（小泉さん）。リーダーシップとは何かと聞いたところ、社会への影響力を持った人が「いいものはいい」と評価してくれることであり、自分の立場や持つ力を社会に還元していきたいという。

業界の合同展示会イベントである「ルームス」で、若手デザイナーの発掘・支援プロジェクト「SPOT LIGHTS by TOMO KOIZUMI」も始めた。影響力のある小泉さんが動いた意味は大きい。若手のデザイナーが自分のデザインした服について、バイヤーや一般の人たちからじかに反応を得るのは大事と考えてのことだ。

「世界基準で見たときに、確かなオリジナリティーがあること。どこにもないもの、今までになかったものというくらいの気概を持ってやってほしい。僕自身も若い頃から、そういう考えを大切にしてきました」(小泉さん)。世の中になかったものを発想し、何らかの形で表現することと言い換えることもできる。それによって、楽しい、ワクワクする、うれしいといった感情が湧き起こり、人の心を動かすのだ。

「作ったもので人の気持ちを明るく楽しくすることができると思っています。服からエネルギーを得て、幸せな気分になってもらえたら、それが自分の幸せにもつながります」と小泉さん。

人は本来、見たことがないものを見てみたい、触れたことがないものに触れてみたい、知らないことを知ってみたいという潜在的な欲望を持っているし、それを満たしてくれるものに価値を感じている。単にトレンドだから、売れ筋だから、コストパフォーマンスがいいからという文脈ではなく、ファッションデザインが本来持っている価値は、ここにもあるのではないか。改めてそこを大事にして、未来を切り開いていくことが求められていると感じ入った。

コロナ禍でコスメブランドを立ち上げた「覚悟」

近藤広幸 マッシュホールディングス社長

人気のルームウエアブランド「ジェラート ピケ」をはじめ、「スナイデル」「フレイアイディー」といった女性向けのアパレルブランドから「コスメキッチン」などのビューティー事業、「パリヤ」「ジェラート ピケ カフェ」といった飲食事業まで、幅広い領域における事業を展開しているのがマッシュホールディングスだ。

社長を務めるのは近藤広幸さん。最初にお会いしたときに訪れた社長室のありようは、濃い記憶として残っている。アートやオブジェ、写真集やビジュアル本などが並んでいたのだが、スタイリッシュに整えるために置いてあるのではなく、仕事で使っている感じがありありとあった。ブランドを立ち上げるときのプレゼンブックを見せてもらった

マッシュホールディングス社長の近藤広幸氏は、1998年にCGデザイン会社としてマッシュスタイルラボの前身となるスタジオ・マッシュを創業。2005年にファッション事業に参入し、その後ビューティーやフード、ライフスタイル、不動産などに事業を拡大。現在は国内8社、海外10社にまで成長したグループ全体を統括する

とき、これらが発想を得たりデザインを広げたりするのに役立っていると分かった。感性による創造性を大事にする方なのだ。

黒を基調としたカジュアルな装いの近藤さんは、「いかにもギョーカイ人」という空気をまとっているが、紡ぐ言葉を追っていくと、原理原則に基づいた硬派な経営者と分かる。時代の流れを読み、その先を切り開いていきたいという強い意志が垣間見える。

一方で創造的な仕事は、ファッションという土俵だからこそできるものと仕事を愛している。理屈理論と感性的創造の双方が大事――近藤さんが抱いているこの信念のようなものが、会社の勢いにつながっているのだ。

抜本的なBXを敢行する

広々とした空間に、ゆったりと距離をとって椅子が配されている。定刻になると銅鑼(どら)の音とともに女性のモノローグが始まり、装ったモデルが参加者の間をしなやかに行き交う。2021年3月、コスメブランド「スナイデル ビューティ」の発表に際し、同社が行ったリアルイベントだ。近藤さん自らがメッセージを伝えた後、担当者から簡潔で端的なコンセプトや商品の説明があった。

オンラインでの発表会が圧倒的に多い中、十分な配慮と準備を行ったうえでのリアルイベントだった。通常、コスメブランドの発表会は、新商品の独自性についての細かい説明がなされ、その後、製品サンプルに触れて使ってみるというのが一般的。その意味でも「スナイデル ビューティ」のデビューイベントは異色であり、創造性を大事にして新しいことへの挑戦を次々とやってきた同社の姿勢を表してもいる。

しかもこのブランド、阪急百貨店や西武百貨店の化粧品フロアにショップがあるのだが、百貨店の化粧品フロアにショップを設けるのは、ファッションブランドを起点としたコスメブランドとしては日本初とのこと。「シャネル」や「クリスチャン・ディオール」をはじめ、欧米のファッションブランドのコスメはあっても、日本のアパレルブランドで本格的にコスメを展開しているところはほぼないからだ。

コロナ禍で、新ブランドの始動や新店のオープンを延期、または中止するところが多い中、「スナイデル ビューティ」のデビューは鮮烈だった。「延期するという判断もあったのでしょうが、あえて予定通り行いました」。

緊急事態宣言の影響もあり、デビューしても厳しいのは目に見えていたが、22年までにBX（ビジネストランスフォーメーション）を達成するという道程を見据え、あえて踏み切った。

「スタートしてからの1年で苦労しておけば、回復したときに体力がついている。〝未来への投資〟と判断して予定通りデビューさせることにしたのです」と近藤さんは言う。

BXの構成要素は「ヒト、モノ、カネ、DX」

コロナ禍によって何がどう変わり、それに対応するために何を変えたのかを聞いたところ、「コロナ禍は世界中の人々が同時に受けている未曽有の出来事。景気が停滞し、危機が起こることが目に見えていたので、舵をどう切ればいいのか、実はかなり悩みました」と返ってきた。

同社は早い時期から中国で小売りビジネスを展開していたため、新型コロナウイルスの感染拡大が始まった段階で、「とんでもないことになる」という危機感を抱いたという。SARS(重症急性呼吸器症候群)やMERS(中東呼吸器症候群)のときの状況を徹底的に調べ、発生からおおよそ2年半くらいでようやく経済が立ち直ったと分かった。少なくとも22年夏くらいまでは経済的に逼迫すると覚悟したという。20年3月の段階で、そこまでの道程をどうするかを徹底して議論したそうだ。

店を閉めざるを得ない状況は見えていた。「最悪の場合は倒産もやむを得ないとある種の覚悟をしつつも、そうならずに企業として成長するためにはどうしたらいいかのシナリオを描き、最短距離で実行していったのです」。そう語る近藤さんの言葉に厳しさが宿っている。

確かに、コロナ禍での同社の動きには、次のステージに向けて挑戦していく姿勢がはっきりと見て取れる。それは早い段階で近藤さんの経営判断が働いた成果だろう。

「抜本的なBXを行わなければならないと判断し、方程式を立てて解を出す方法を考え抜いた」と言う。そして、「ヒト、モノ、カネ、DX（デジタルトランスフォーメーション）」の4つが方程式の構成要素であり、それらの掛け算によってトランスフォーメーションを起こそうと取りかかった。

当時は新型コロナウイルス感染症拡大の初期段階だったこともあり、業界では「まだ大丈夫」「何とかなる」という空気があったという。そんな中、「削れるものは削る一方、公的な助成金や金融機関からの借り入れなど、できる限りの資金調達を図りました」（近藤さん）。そのあたりの危機意識が、明暗を分けたと言っても過言ではないだろう。

〝挑戦＝攻め〟なくして〝止血＝守り〟はない

近藤さんが立てた戦略は、コロナ禍を生き残るというより、時代の変化が要請するBXを成し遂げることにあった。「ヒト、モノ、カネ、DX」というBXの4要素について、〝止血＝守り〟と〝挑戦＝攻め〟の双方を行っていったのだ。

コロナ禍が始まった頃、店舗を減らして一気にデジタルに舵を切るというニュースが後を絶たなかった。そうせざるを得ない状況だったのは確かだが、デジタルはあくまで手段であり、本来的なゴールは企業のビジョンを描くことにある。そこが明確になっていない企業は、先が見えづらい状況が続いている。

コロナ禍におけるアパレル業界を取材していると、店を閉めたり販売員を減らさなければならないところが少なくはない。やむを得ない決断なのは分かるが、ネガティブな施策が先に立つと、未来に向けた道程や希望がかすんでいく。

そんな中、近藤さんはどういう施策をとったのか。コスト削減を進めつつ、BXのために新設した部署に人を配置。さらにものづくりについても、受注生産の導入を図った。

特に生産体制は、アパレル業界が長年抱えてきた課題だ。企画をスタートしてデザインを起こし、店頭に置く約半年前に展示会を開く。そこでバイヤーから受けた注文を基に生産するのがこれまでの流れ。

しかし、大量の商品を高速で回転させる大量生産・大量消費のビジネスが加速度的に進む過程で、見込み受注を前提に生産するようになっていった。そうなると、見込みの精度が低ければ大量の在庫が積み上がることになる。これがセールの長期化や廃棄の問題につながってもいた。この長年にわたる課題に対し、現実的に取り組める形として受注生産を実行した。

かといって、生産にかかる期間や数量を考えると、全てを受注生産に切り替えるのは無理がある。ある程度の規模のアパレル企業が完全な受注生産をしようとすると、工場は今より短期間で大量の商品を生産しなければならず、負荷が高くなってしまうのだ。そこで近藤さんは「完売できる」と自信を持てる最低ロットを従来通りのスケジュールで発注し、その後に受注した分を追加生産する仕組みに変えた。

生産数そのものも見直した。単に生産量を減らしたわけではない。売り上げが7割程度になることを前提に生産量を3割減らす。同時に、その3割を将来に向けた〝攻め〟の商品に振り分けたのだ。

具体的には、家の中で過ごす時間が増えるのを踏まえてルームウエアが人気の「ジェラート ピケ」のアイテムを拡充したのに加え、マスクを開発したり、「スナイデル」のルームウエアブランド「スナイデルホーム」を新たにスタートさせたりした。また、任天堂の人気ゲーム「あつまれどうぶつの森」（以下、あつ森）と「ジェラート ピケ」のコラボレーションを実現させた。あつ森とのコラボでアパレル商品を展開したのは「ジェラート ピケ」が初めてだったという。

変化しなければ生き残れない時代が強制的に訪れた

さらに、DXをさまざまな分野で進めた。まず、対面販売ができなくなることを前提に、販売員がリモートで接客できるアプリを導入。リモート会議が増えて使わなくなった会議室をSNS用ライブ配信スタジオにつくり替えて稼働させるなど、そのための環境も整えた。やってみると、商品のディテールを説明したり、自分が着てみせたりなど、それぞれが工夫を凝らすようになった。「リモート接客でどのようにアピールすれば顧客の心に刺さり、喜んでもらえるのか。販売員たちが切磋琢磨している様子を見てうれしくなった」（近藤さん）。

リモート接客は、顧客の視点から見てもメリットがあった。「モデルではない一般人が着たときのシルエットや動きが分かる」「その場でのリアルな質問に答えてくれる」など、これまでのECの課題が解決されたのだ。

販売員の評価についても見直しを行った。「販売員のモチベーションは自分の接客によって顧客が商品を買ってくれ、接客による付加価値を体感してくれること。そこをきちんと評価し、さらに成長してもらうために、ベースの給料に加えてインセンティブを与える制度もつくりました」（近藤さん）。

アパレル業界では昔から、販売員の能力を評価してモチベーションを上げていく制度について、多くの議論がなされてきた。コロナ禍でリアル店舗を閉めなくてはならず、ECに脚光が当たる一方で、リモート接客で個々の販売員のスキルが浮き彫りになった。ここを正当に評価しようという制度は前向きな改革だ。デジタルシフトはデジタルであることに重きがあるのではなく、何がデジタルの価値で、何がリアルの価値であるかを見極め、それをベースに新しい価値を築いていくことにある。

マッシュはDX化を図ることで、企業としてのBXに向けて進んでいる。「変化しなければ生き残れない時代が強制的に訪れたととらえていて、コロナ禍になるとは想定していなかった時点で、21年のスローガンを『変化の頂点』としました」（近藤さん）。「変化の頂点」とは過激ともとれる言葉だが、意図するところが真っすぐに伝わってくる。しかもこれだけのことを短期間で実現しているところに、近藤さんの本気度が表れている。それによって、社内全体の意識が変わっていく。だから前に進んでいくのだと感じた。

「ものを作って人に届けたい」がファッション業界に向かわせた

マッシュの企業理念は「私たちの発想を形にし、人々に幸せを届ける」。「発想を形にする」という表現で、創造性をどう生かすかを読み解いている。また、スローガンは「ウェルネスデザイン、時代とともに進化し続け、私たちにしかできないウェルネスを届けていく」であり、目指す方向も分かりやすい。アパレル業界の中でも、ここまで明快に「創造性の大切さ」をうたっている企業は珍しい。その原点はどこにあるのか。

「小学生の頃から人と違う子でした」と近藤さん。たとえば、バスケットボールひとつ選ぶにも、ポピュラーなオレンジ色でなく、あえてトリコロールカラーを選んでいた。小学2年生の頃から音楽や映画にハマり、「ペット・ショップ・ボーイズのTシャツを着て学校に行っていました」（近藤さん）。おませさんだった近藤さんの姿が思い浮かぶ。レコードジャケットや映画に出てくる美術や衣装を見るのも好きだったという。

建築家になりたいと思うようになったが、型にはまらず自由に表現できるもので挑戦しようと考えた。今でも建築や街並みを眺めるのが大好きで、それを目的に外国に行くほどだという。空間デザインを学び、グラフィックから建築までさまざまな領域のデザインの仕事に携わった後、1998年にCG制作を手掛ける会社を興した。

一方で、「ものを作って人に届けたい」という考えを抱き続けてもいた。「それを、初期費用を抑えながら実現できるのは料理か服。どちらがいいかを考え抜き、料理は基本的に目の前の限られた人だけにしか届けられない。服なら世界中の人に着てもらえると服の世界に飛び込むことにした」（近藤さん）

そして2005年、ファッション事業を立ち上げた。それまでファッション業界には広告の仕事で関わったことがあったが、「少し閉鎖的という偏見みたいな印象もあって、あえて業界での横のつながりを持たずに自力で立ち上げようと考えました」（近藤さん）。

アパレル企業で働いた経験はなく、業界の仕組みが全く分からない中、レディースブランド「スナイデル」を立ち上げた。「デパートに出店するとは？」「ファッションビルの家賃とは？」「下代とは？」と分からないことだらけ。業界の商習慣をほとんど知らないまま、体当たりで営業していったのだ。

当然のことながら、最初から順調だったわけではない。門前払いというところも少なからずあった。しかし、「君が面白いから、やってみましょう」とチャンスを与えてくれたバイヤーがいて、出店が決まった。しかし、そこでもハプニングが。オープン前日に売り場に届くはずの商品がいくら待っても来ない。当日の朝5時にやっと届き、何とか間に合わせた。身が縮む思いを経てのスタートだったという。

最初は鳴かず飛ばずだった「スナイデル」

何とか出店はしたものの、なかなか人気ブランドになれない。カジュアルなストリートファッションとフォーマルなスタイルをミックスさせた〝ストリートフォーマル〟というコンセプトには自信があったものの、立ち上げて1年間は鳴かず飛ばずだったという。

そこで改めてコンセプトを掘り下げ、クラッシュデニムにレースのブラウスを合わせるなど、「服をジャンルで区分するのではなく、自由に組み合わせて自由に着こなす」というスタイルの提案に徹した。そうすると、良い反応が返ってきて手応えを感じた。ヒットし始めたときはうれしかったという。

この話を聞いて、コンセプトを明確にするだけでなく、その背後にあるブランドの世界観や思想を掘り下げて表現することが肝要だと思った。コンセプトとは、ブランドの基軸をなし、ゼロから何かをつくり上げる起爆力を持っているからだ。

つまり、「スナイデル」のコンセプトである〝ストリートフォーマル〟は、「対極と言っていい異質なものを自由に組み合わせる」という明快な世界観を持っていた。だから、そこを起点にアイデアを練り直し、強く伝わるスタイルを提案することで世に受け入れられていったのだ。迷ったときや悩んだときは、何を目指したブランドだったのかを確認する。本質を洗い出し、そこを起点に将来を描いてみることが大事ではないか。そのためにも、コンセプトは徹底して磨いておく必要がある。

同社がブランドを立ち上げるときのコンセプトブックを見せてもらった。写真と文字がコラージュしてあるページが連なっていく構成で、説明として必要最低限の言葉が添えられている。「ブランドが描く世界観は最も重要なところなので、写真のチョイス、タイポグラフィーのデザイン、コラージュの仕方など、徹底してこだわって作り上げます。これが社内メンバーはもちろん、取引先である百貨店やファッションビルの方にも世界観を理解して共有していただくためのものでもあり、大切な役割を果たしているのです」（近藤さん）。企画書の段階で徹底して理屈と感覚を詰めているのだ。

アパレルブランドのコンセプトで多いのは、感覚的な言葉が並んでいて字面は美しいのだが、中身が抽象的な理解にとどまってしまうもの。担当者の話を聞いても、何となく雰囲気として分かるのだが、意図が明快に伝わってこない。長い時間をかけてつくったコンセプトだけにもったいないと思うことがある。

「人は感覚的な世界観を見て『何か良さそう』となると、ファンになってくれる確率が上がる。ファンになってくれれば、今度は成長してほしいと応援するわけです」（近藤さん）。だからブランドの描く世界観には、圧倒的なオリジナリティーが必要だという。

ブランドを立ち上げるときに近藤さんが大事にしているのは「感動の伝導率」。「ブランドを通じて人を感動させ、ファンをつくり、売り上げを伸ばすと覚悟することで、そのために何をすべきかが明確になってくるのです」（近藤さん）。どうしたら社内外の人を巻き込んで成功に導けるか。その仕事に関わる人たちを〝のせる〟空気をつくるために、あらゆることをやっていく。つまり、「感動の伝導率」を高めていくことが、結果的にブランドの成否を分けるのだという。

ルームウエアの価値を上げた「ジェラート ピケ」

近藤さんは、「感動の伝導率」が高いブランドをつくり出すことで、新しい領域を切り開いてきた。「『Change your lifestyle!』をモットーに、今あるライフスタイルではなく、未来に向けたライフスタイルを提案しようと考えてきました」。たとえばルームウエアの「ジェラート ピケ」は、今でこそファッションの延長線上にある人気ブランドとして定着しているが、発表当初の業界の常識は異なっていた。

「もともとの発想は『毎日の着替えを楽しいものにしたい』というところにありました。家に帰ってルームウエアに着替えるときってテンションが上がらないじゃないですか」（近藤さん）。

確かにルームウエアは、外出着に比べてないがしろにされてきた。我が身を振り返っても、着古した外出着やセールで買ったジャージやTシャツなどがルームウエアになっていて、愛着を持って選んだり着たりということはないに等しい。「かわいくてテンションが上がるルームウエアがあったら、女性のハッピーを増やせると考えたのです」と近藤さん。

ではなぜ、モコモコふわふわした素材、ピンクやブルーといったカラフルな世界観を提案したのか。

「女性は誰もが、家で人の目を気にせず、かわいくて好きな色のウエアを着て、リラックスしたいのではないかと」（近藤さん）。ルームウエアの価値を上げるとともに、それを着た女性が幸せな気分になることを想定し、ファッション性を加味した質の良いウエアで手ごろな価格帯のブランドをつくることにした。

ブランド立ち上げ時に作成した企画書が、また近藤さんらしい。「きれいなケーキボックスにリボンを付け、開けると中からモコモコふわふわしたジェラート ピケの服が出てくるというものを作りました。コンセプトが『大人のデザート』だったので、ギフトとして使われることも多いだろうと考え、そういう意図も込めたのです」（近藤さん）。ビジュアルをふんだんに盛り込んだ企画書や新市場開拓という趣旨で練った事業計画書を添えてプレゼンしたところ、共感してくれる取引先が出てきたという。

売り場についても常識破りな提案をした。ルームウエアといえば、百貨店ならインテリアフロアに、ファッションビルならライフスタイル関連のフロアに配されるのが通例だ。しかし、近藤さんは〝ファッションとしてのルームウエア〟にこだわり、ファッションビルの1階や百貨店の婦人服フロアの中央といった場所を提案。理解してくれる取引先と組んで出店していった。

確かに、ファッションブランドと並んでいても全く違和感はない。それは、質が良くてファッション性を備えている点で、周囲のファッションブランドと遜色ないからだろう。当初描いた「かわいくてテンションが上がるルームウエアで、女性のハッピーを増やしたい」というブランド価値を体現している。

「コスメキッチン」は、世界のナチュラル＆オーガニックコスメを中心に、アロマやハーブティー、食品、飲料、雑貨など、暮らしを取り巻くアイテムをそろえているセレクトショップだ。今でこそこういったショップは少なくはないが、「コスメキッチン」が登場したのは04年のこと。ナチュラルやオーガニックを切り口としたライフスタイル型セレクトショップはまだまだ少数派だった。その後、時代の流れに沿って人気を集めるようになり、今や全国で59店舗（21年8月末時点）を構え、多くの客でにぎわうショップになっているのだ。

「『自分たちのブランドが成長していけば、世の中のライフスタイルを少し変えることができるかも』という思いでやってきました」（近藤さん）。まさに、Change your lifestyle! を体現してきたのだ。

ファッションは「世の中が良い方向に転換するトップバッター」

大量の売れ残りを処分していることや、過酷な労働環境が問題視されている途上国を頼りにしていることなど、アパレル業界のビジネスの仕組みに対する疑問の声があちこちで上がっている。ファッションやブランドはもはや大きな意味を持たないという意見もある。そんな中にあって、ファッションの魅力は何なのかを、あえて近藤さんに問うてみた。

「世の中が良い方向に転換するときのトップバッターとしての役割を務めるのが本来の

姿。『変わること』を肯定的にとらえて表現し続けてきたのがファッション」（近藤さん）だと言う。

時代の変化を敏感に読んでその先を切り開くのは、もともとファッションが得意としてきたこと。しかしそれがいつの間にか、半年ワンサイクルを回すために変える、変えるために変えるといったルーティンに陥っていった。ファッションが持っていた感度がいつの間にか鈍り、他業界の感度のほうが勝っていったのではないか。

そんな中でも、近藤さんは「トップバッターとしてのファッション」という考えを持ち続けている。ファッションとは日々変わり続ける圧倒的にクリエイティブな存在であるという信念のようなものが、それを支えているのではないか。クリエイティブであるために、ファッションをなりわいとして前に進んできたのだ。

「僕の仕事の原点にあるのは、世の中を変えて〝感動〟を与えたいということ。ファッションを通じて『かわいい』『うれしい』と感じてもらいたい。その思いが全てにつながっています」。

感動を生み出すには、それまでにない発想こそが必要。今あるライフスタイルではなく、未来へ向けてのライフスタイル提案を続けていかなければならない。

ルームウエアの「ジェラート ピケ」も、ナチュラルやオーガニックを基軸に置いた「コスメキッチン」も、スタートしたときはそれまでになかったものだ。

近藤さんは「自分を表現するのに欠かせない存在がファッションではないでしょうか。いわゆる自己表現はファッションが果たす役割。その人の考え方やセンスが表れるもの」とも言う。表層的なトレンドをまとっているのがファッションではなく、その人となりを映し出すものであるという話は納得できる。

その意味で、機能性や利便性だけを優先し、全員が同じような格好をしている世界は、決して楽しそうではないとも。

「自分らしく生き、人生をカラフルにするための根源はファッションにある」と言う。

一人ひとりが自由な考え方や生き方を選べ、それを互いに認め合うことが大事という価値観は、時代の流れと符合している。近藤さんのファッションに対する矜持が、未来を切り開いていく原動力と確信した。

「ルイ・ヴィトン」「ロエベ」もオーダーするニッポンの布デザイナー

梶原加奈子 テキスタイルデザイナー

世界のラグジュアリーブランドが日本の工場で布を作り、服に仕立ててパリコレで発表しているのをご存じだろうか。日本の布作りの技術が、「あの工場でしかできないもの」と世界のトップブランドから認められているのだ。「もっと宣伝していいのに」という話だが、ブランドとの間に厳しい守秘義務があって宣伝することはできない。日本の〝クラフツマンシップ＝職人技〟は確かな価値を持っているのにもったいないと思う一方、日本人として誇らしさを感じる。

テキスタイルデザイナーの梶原加奈子さんは、こういった動きを支えてきた一人。日本の工場と一緒に布を作り、「ルイ・ヴィトン」「ロエベ」「ジョルジオ・アルマーニ」など

テキスタイルデザイナーの梶原加奈子氏は1973年札幌市生まれ。99年に多摩美術大学デザイン学部染織科を卒業し、「イッセイミヤケ」に入社。2002年に退社し、03年に英国ロンドンにある美術系大学院大学RCA（ロイヤル・カレッジ・オブ・アート）入学。06年に帰国し、「カジハラデザインスタジオ」を創業

数々のブランドからオーダーを受けてきた。

作り手と使い手の懸け橋になる

暮らしの周辺には多くのテキスタイル（布）がある。アパレルをはじめ、カーテン、タオル、ラグ、クッション、ベッドリネンなど――さまざまな糸や織り、柄が施されている。それらのデザインを手掛けるのがテキスタイルデザイナーの仕事だ。

梶原さんは「カジハラデザインスタジオ」を率い、約10人のスタッフとともに、日本各地にある産地や、アパレル、インテリア、建築などさまざまな分野の企業と組んで布を開発し、国内外に送り出してきた。工場と一緒に開発するオリジナルブランドに加え、寝具やタオルのメーカーと一緒に製品を開発し、ブランド化する仕事も手掛けている。

その功を認められ、欧州のデザインコンペティション「TEXPRINT2005」の新境地開拓部門でグランプリを、2013年には欧州を代表するテキスタイルの見本市「プルミエール・ヴィジョン・パリ」主催のテキスタイルコンペティション「PVアワード」で開発に取り組んだ工場とともにグランプリを受賞。そして20年には第42回織研賞を受けてもいる。

力を入れてきたのは、布作りにおけるクラフツマンシップを伝え広めていくこと。日本の工場や職人が持っている高度な技を多くの人に知ってもらいたい、暮らしの中に取り入れてもらいたいという志を抱き、仕事を通して実践してきた。

その背後には、バブルがはじけた１９９０年代頃から、日本のアパレル関連工場が立ち行かなくなり、閉鎖を余儀なくされてきた事実がある。ものづくりの現場がなくなることは、技術が消えていくことを意味する。一度失ってしまったら、復活させるのは容易ではない。

「日本の職人は細部にまで気遣いを行き届かせ、質が高いものづくりを続けてきたのが優れているところ」と梶原さん。アパレル業界の財産とも言えるものを残し、未来につなげていきたいという意志が仕事の原動力になっている。

デザイナーが産地に入り込み、工場と一緒にものづくりをすること自体は珍しくない。ただ、梶原さんのように国内外を問わず、長年にわたってアパレルやインテリアなど幅広い分野で実績を築いている人はごく限られている。

ご縁を得たのは、梶原さんがある会社のバックアップのもと、オリジナルブランドを立ち上げたときのこと。知人から紹介され、東京・青山のショールームを訪れた。ストールやバッグ、ソックス、クッションなど、ポップで華やかな世界が広がっている。さまざまな糸が、繊細な織柄や立体的な造作の布に仕立てられている。「布にはこんなにデザインの可能性があって、人の気持ちを動かすのか」と、その豊かさに目を奪われた。

梶原さんの話を聞き、布をデザインするだけでなく、工場の職人と一緒になってものづくりに取り組み、国内外で発信していると知った。よどみなく語る梶原さんの言葉には信念が宿っている。力強いと思う一方、相当に手間がかかる仕事だし、きらびやかな脚光を浴びる世界でもない。この意志の強さが続いてくれたらうれしいと感じた。

その後、リーマン・ショック、東日本大震災、そしてコロナ禍と、不況の波が容赦なく降りかかった。梶原さんが手掛けているプロジェクトで、止まったもの、立ち消えたものもあったが、その意志が揺らぐ様子はない。

「プロジェクトがなくなったり終わったりすると、寂しいとは思います。でも〝作り手と使い手の懸け橋になる〟という意志は変わりません」という言葉に力がこもっている。このエネルギーの源はどこにあるのか。

フェリーの住み込みアルバイトでお金をため、美大に

梶原さんは札幌市で生まれ育った。幼い頃は空想することが大好きで、自分で物語を書いていた。「将来は小説家になりたいと思っていたのです」(梶原さん)。お母さんが趣味で絵をたしなんでいた影響もあって、絵を描くことも好きだった。

高校生になり、お兄さんが広告の世界で働き始めたのを見て、言葉とビジュアルを組み

合わせたデザインの世界に引かれ、デザイナーになろうと思い立った。デザインといっても、グラフィックもあればプロダクトもあるのに、なぜテキスタイルを選んだのか。
「高校の先生から、布をデザインするテキスタイルデザイナーという仕事があって、女性が長くできるから挑戦してみたらいいと勧められたのです」（梶原さん）。

東京の美術大学に行きたかったものの両親から反対され、地元の美術短大のデザイン科に入った。しかし、「東京の大学で勉強したい」という思いを断ち切れず、フェリーで住み込みのアルバイトをして予備校の費用と大学の受験費を稼いで親を説得し、多摩美術大学デザイン学部染織科に進んだのだ。やると決めたら、行動で訴えて周囲を動かしていく。今に至る梶原さんの片りんがうかがえるエピソードだ。

大学を卒業して「イッセイミヤケ」に入社。さまざまな布のデザインに携わったのち、英国ロンドンの美術系大学院大学RCA（ロイヤル・カレッジ・オブ・アート）に留学した。

RCAでの学びは新鮮なことばかりだった。「美大はいかに美しい布を作るかという作品作りのための勉強でしたが、RCAは社会と関わってビジネスを生む勉強に徹していました」。企業が出す課題に対して学生が自ら考えてものづくりを行い、成果を評価する授業が主体だったという。

たとえば、「ユニクロ」から「新しいTシャツをデザインしてほしい」という課題を出され、コンペで上位に選ばれた学生は、中国に行って工場の人とやり取りしながらTシャツを作って製品化される、といった具合だ。ものづくりの現場を目の当たりにし、そこで自分のデザイン力が生かされるかどうかを体験する。

「誰のための、何のためのデザインかというところを学べたのは大きかった」と梶原さんは言う。

この話を聞き、デザイナーという仕事は社会に役立つ価値を生み出すところにあり、RCAの教育は、実践を通してそこを学ばせるところに意義があると思った。こうした教育が日本でも行われていないわけではないが、アパレル業界は遅れている。

また、参加企業が学生の出張費も含めた経費を負担する。未来を担う人材の育成を企業がサポートするというカルチャー自体が、英国と日本では随分と違う。こういう行為が業界の未来をつくっていく。日本も少しずつでも変わってほしいと願わずにはいられない。

RCAの課題の中で、グアテマラの工場に行って残糸(布を機械で織るときの余り糸)を生かした布作りをすることがあったという。現地ならではの手織りの技を生かし、自分のデザインを盛り込んだ布を、工場の人とやり取りしながらやっとの思いで作り上げた。「工場の人と使い手の懸け橋として、デザイナーが役に立てる」という確かな手応えがそこにあった。これが、工場のものづくりに深く関わり、〝作り手と使い手の懸け橋になる〟という、梶原さんの今の仕事の原点になったのだ。

日本の職人の生命線を広げていく役割

そしてこの意志は、日本でのものづくりに向かっていった。80年代から90年代にかけて、円高の進行のもと、人件費が安い海外で生産する動きはさまざまな分野で広がった。アパレル業界ではSPAが登場し、米国の「ギャップ」を筆頭に、世界的な影響力を持ったのである。

製造から小売りまでの工程が複雑で細分化されているアパレル業界の課題に対し、一貫して行うビジネスモデルとして脚光を浴びた。旧来型のビジネスを大きく変える仕組みとして重用されたのだ。

この頃から、日本のアパレル生産の海外移転が一気に進んでいった。そして、21世紀に入る頃には経営が立ち行かなくなり、閉鎖する工場が続出するようになっていった。今や日本のアパレルは、全体の約98％を海外生産品が占めるようになっている。

海外生産の主なメリットはコストだったのだから、価格競争に陥らず、他の価値を打ち出す戦略もあった。つまり、低価格に合わせたそれなりの価値という文脈で価値を下げていく方向ではなく、安くはないが相応の価値があるという文脈で、価値を上げていく方向のものづくりに切り替える手もあったのだ。

そんな潮流を見極めていたRCAの担当教授は、梶原さんに「日本のテキスタイル作りは、これから大変なことになっていく。途上国に拠点が移ることで国の財産が失われていくのはもったいない。加奈子はそこを残していく仕事に関わったほうがいい」と勧めたという。その言葉が、梶原さんを今の仕事に向かわせる動機づけになった。

「職人さんと関わったクリエイションを行うことで、これからの時代に息づいていく布を生み出し、多くの人の暮らしの中で使われていく。川が海に流れていくように、職人さんの生命線を広げていくような役割を担っていきたい」と梶原さん。

国内にある細々とした川の流れを広げ、世界の海に解き放っていく役割を担っていこうと決めたのだ。

今の暮らしの中で使われていくように技を生かす

日本のものづくりの良さを見直す動きは今に始まったことではなく、10年以上前から広がってきたもの。アパレルに限らず、さまざまな分野で起きている。ただ、高い技術だから残さなくてはならないということではない。

梶原さんが口にしたように「暮らしの中で使われていく」ことが肝要で、どんなに希少な技術であっても、ニーズがなければ残っていくのは難しい。そんなことは当たり前と思う向きもあるだろうが、そうでもない。

ひと昔前に比べると、随分と減ってはいるものの、地方の土産物の中には、今の暮らしの中で使えそうにないもの、もっと言えば時代遅れに見えているものもまま見られる。職人の技が今の暮らしにフィットするデザインになっていないのだ。

また、作られてきた過程も含めて、技の価値を分かりやすく伝えることも肝要だ。日本には「声高に語らずとも、良いものはおのずと語ってくれる」という暗黙の了解があるが、伝わらなければ意味がないのである。

「誰がどのような意図で、どこでどのように作ったのか」に今の消費者は敏感になっているし、そこを知りたがっている。「長期的に使い込むものとしてどのように作られたか」「地球環境と共生するための役割をどこで果たしているか」など、ものづくりの背後にある思想や姿勢も含めて判断し、選ぶようになっているのだ。

一方、企業のトレーサビリティーやサステナビリティーといった活動に注目が集まっているが、確固たる意志をもって実践に臨んでいるかを、消費者は見極めるようになっている。それも、言葉だけで声高にうたうより、ものを通じて伝える時代に入っている。まっとうなことにこそ信用を置く。消費者の意識はそういった次元へ進んでいるのだ。

変化することに向き合う姿勢を持ってもらう

梶原さんは、具体的にどんな仕事をしているのか。初期の頃から取り組んでいる、兵庫県西脇市の繊維商社である丸萬とともに遠孫織布という工場と開発を続けてきたケースを聞いた。

カラフルな色が目を引くストールは〝多重織〟という特殊な技術で作られている。「こうしたらもっとすてきな布になる」という梶原さんの要望に応え、工場の職人たちが知恵を絞った技で取り組んだもの。幾重にも色を重ねた布を織るため、職人は複雑なプログラムをコンピューターに打ち込まなくてはならないし、繊細な作りなので織り上げるには相応の時間がかかるそう。日本の中でも恐らくここだけができる技術だという。さらにこの布は、廃棄物に新たな価値を与えるアップサイクルの考えを具現化したもので、残糸を使っているのだが、それが全く分からない。

〝難しいことに挑戦する日々の鍛錬が未来をつくっていく〟という思いのもと、「変化に向き合い、壁を越えていくのをいとわない姿勢があってのこと」と梶原さん。そういう姿勢を持つ遠孫織布の職人と、時間をかけて新しい布の開発に取り組んできたのだ。

ただ、最初からこういう関係性が築けたわけではない。梶原さんが提案したデザインに対し、「それをやって売れるのか」「アート作品を作るわけじゃない」「そんなデザインを形にできるのか」と疑問を抱いたり及び腰になったりする職人もいた。梶原さんは一人ひとりと話し込み、少しずつ納得してもらって労苦をともにする。そうやって布を作り、国内外の展示会に出て、梶原さん自ら商談に加わって手応えを得ていったのだという。

２００７年、「ジョルジオ・アルマーニ」から声がかかり、コレクションで使われることになったときは、チーム一同で喜び合ったという。そうやって少しずつ成果が出てくることで、職人との信頼関係が出来上がっていったのだ。

最新の仕事の一つは、長野県大町市に工場を持つ近藤紡績所の、世界最高級の綿である海島綿などを使った製品をブランド化するプロジェクトだ。英国王室御用達として重用された海島綿は、現在世界で３社のみが取り扱いを認められており、国内で唯一生産を認められているのが近藤紡績所だ。綿の紡績に特化した工場で、技術と品質管理の高さを評価されてのことだという。

海島綿は独特のしなやかな風合いと肌触りに定評があるが、糸をよって織り上げるのに大変な手間と相応のコストがかかる。大量生産品はコストが安い海外生産にシフトしていったが、国内での少量生産でしか作れない歴史あるものづくりを、１００年先まで残していきたい。そのためには、価格競争に陥らない価値づけをしていかなければならない。そこで、近藤紡績所は布だけでなく製品も含めたブランドを梶原さんと一緒につくることにしたのだ。ブランド名は「レンメント」。過去から未来に向け、連綿と綿づくりを続けていく意図を込めたという。

極細でしなやかな糸をより、繊細な肌触りを持った布に織り上げるため、工場はほこりが飛ばないよう常に空調でほこりを吸い取る設計になっているうえ、工場の清掃を1日3回設けるなど徹底している。また、高速で糸を紡績してしまうと、細くて長い繊維を傷つけて繊細な仕上がりにならないため、効率は悪いものの低速で丁寧に織り上げている。「見えないところの職人さんの立ち居振る舞い、その気遣いと誠実さが、日本の職人技の基礎にあると改めて感じました」と梶原さん。

一方、工場の技や志がいくら優れていても、旧態依然とした感覚のままでは時代にフィットしたものづくりにはなっていかない。「こういうものを作れないか」と未来に向けた発想をし、それを実現しようと切磋琢磨するところに、新しいものづくりが開けていく。梶原さんは先生のように「こうしなさい」と言って終わりではなく、一緒になって「やり遂げる」ところまで持っていく。そのための労苦をいとわないから、地道ながらも着実な成果を出しているのだ。

「テキスタイルを作っていく工程には多くの人との関わりがあり、そこの意思統一を図っていくことも大事」(梶原さん)。1人の力ではできないことでも、求心力のあるチームなら実現できるという。

オンワードと組んで立ち上げた新プロジェクト

そんな梶原さんとアパレル大手のオンワードが21年秋に立ち上げたプロジェクトが「クラハグ」だ。コンセプトとして掲げているのは「日本の工場と共に。循環するモノづくりから未来づくりへ。」。付された文面を読むと、日本各地の職人（クラフツマン）が受け継いできた〝匠のものづくり〟に、長年にわたって積み重ねてきた知恵や工夫があること。そこを大事にしながら、未来につなげていくのがプロジェクトの目指すところとうたわれている。「クラハグ」とは、「CRAFTSMAN＋HUG」と「LIFE＋HUG」から生まれたもので、「〝クラ〟フツマン」と「ライフ＝〝クラ〟シ」の〝クラ〟に掛けているという。

「1990年代ごろから、日本の工場の力が衰えていくのをもったいないと感じていました。そこで、オンワードのECサイト『オンワード・クローゼット』をプラットフォームとして、日本の優れた工場と一緒に新ブランドを構築しようと考えたのです」と、オンワードホールディングスの社長を務める保元道宣さん。約400万人の顧客を持ち、オンワードグループを含めた多数のブランドを扱う「オンワード・クローゼット」を土台に、梶原さんがクリエイティブディレクターを務める事業を立ち上げることにしたという。

「100億円規模のブランドをいくつも持つことに価値があるのではなく、1億円のものも10億円のものもあって、まさに百花繚乱(りょうらん)的な状況をつくることが本来的な意味での多様化であり、収益性と継続性のバランスを取っていくことがマネジメントの課題」と保元さん。従来のやり方を変えなくてはならない時期だからこそ、内部だけで解は出ない。さまざまな外部と関わって、切磋琢磨しながら新しいビジネスを生み出していくという。

「クラハグ」では中堅リーダーのもと、入社2年目の若手チームが主体となっている。ブランド成長と人材育成の両輪を回し続けるのは容易ではないし、一朝一夕にできるものでもない。だが、ここは中長期的な視点で継続していってほしい。

オンワードは、「組曲」「23区」「ICB」「自由区」など自社のオリジナルブランドを90年代から次々と発表し、成功に導いた。「それ以降、本来の意味で新ブランド開発ができていなかったと反省し、新しいブランドづくりに真剣に取り組まねばと覚悟しています」(保元さん)。強い危機感のもと、いくつもスタートしている新プロジェクトの一つとして、サステナブルな成長とファンの育成、工場とのネットワークづくりに力を入れていきたいという。

「クラハグ」はどういう中身なのか。日本各地にあるクラフツマンシップを備えた工場をユーザーとつなげていく。初年度は25工場を目標に、全国のファクトリーブランドから梶原さんが選定し、それらの製品をオンワードが「オンワード・クローゼット」で販売する。また、Ｗｅｂジャーナルサイトも立ち上げ、産地のことや作り手の思い、商品について詳しく伝えていく。各ブランドの商品企画や生産にまつわるサポート、アドバイスは主に梶原さん、ＥＣおよびポップアップショップなどの店舗、ＰＲなどについてはオンワードが担い、一体となって世の中に打ち出していく試みだ。

ファクトリーブランドとは、工場＝ファクトリーが作ったブランドのことを指す。80年代後半ごろ、ラグジュアリーブランドはイタリアやスペインの優秀な工場でものづくりを行い、技術力の高さをブランド価値の一つとして打ち出していた。そういう工場の中で、ラグジュアリーブランドに評価された自社の技術力をブランド化しようと、ファクトリーの名を冠したブランドを始めるところが出てきたのである。品質が高くてリーズナブルなため、消費者に受け入れられるところもあった。欧州を発祥とした動きだったが、実績を出したことから、米国や日本にも広がっていった。

日本でファクトリーブランドが登場した背景には、もう一つ事情がある。ものづくりの拠点の多くがアジアをはじめとする途上国に移行する中、国内の工場は生き残りを模索し、ユーザーと直接つながる試みとして、ファクトリーブランドの立ち上げが進んだのだ。工場が自社ブランドの商品を直接消費者に販売するという、今で言うＤｔｏＣ（ダイレクト・トゥー・コンシューマー）の流れが、この動きに拍車をかけた。

ただ、これら全てが成功したわけではない。ものづくりに徹してきた工場が、いきなりブランドを立ち上げたのである。ブランドの独自性をどこに置くのか、時代に合った創造性をどう盛り込むのか、どのようにユーザーに伝え広めていくのか。いわゆるブランディングにまつわるノウハウがないところから始めなければならない。うまくいかずに立ち消えていったブランドもあった。

梶原さんが工場と組んでものづくりする際には、そこに踏み込んでいくことが多いという。オンワードからの依頼には、そういう期待も含まれている。プラットフォームを提供し、全体をサポートするオンワードの動きは、保元さんの目指す「転換期にある大手アパレルが担う役割」でもある。

〝布のある暮らしを体験してもらう場〟をつくる

梶原さんは2017年、長年抱いてきた思いを具体的な形にしようと、札幌に「COQ（コキュウ）」という場をつくった。札幌駅からクルマで30分ほどのロケーション。自然にあふれた「札幌芸術の森」のすぐ近くにある。ギャラリー＆ショップ、ダイニング、ゲストハウスを備え、自然に囲まれた一軒家なのだ。控えめな看板が掲げられた瀟洒（しょうしゃ）なたたずまいは、成果を声高に言い立てない梶原さんならではだ。

ギャラリー＆ショップには、梶原さんがメーカーと作った布に加え、バラエティー豊かな布製品が並ぶ。ストールやソックス、バッグといった身に着けるものをはじめ、タオルやキッチンリネン類なども。奥にあるカフェ＆ダイニングは大きな窓から森と川が望めるぜいたくな空間。テラス席もしつらえてあって、屋外に出ると川の音が聞こえる。

約300坪という敷地は、梶原さんのパートナーである梶原英俊さんが8年にわたって探し続け、「ここしかない」と思い切って購入したところだ。環境まるごと「梶原加奈子の世界」を提案したいと考え、建築から内装までこだわって造り上げたという。

2階には1室だけのゲストハウスがある。なぜ宿泊施設までつくったのか。「テキスタイルデザインを知らない方が多いと感じていて、さまざまな布が暮らしに密接に結びついていることを伝えたいと考えたのです」（梶原さん）。

ゲストハウスのカーテン、ラグ、ベッドリネン、バスローブ、パジャマ、タオルなどは、梶原さんが工場やメーカーとともに作った製品。ソファにはたくさんのクッションが配され、奥には上等なリネンに覆われたベッドが並ぶ。

ベッドリネンには絹のように上品な光沢と繊細な柔らかさが特徴の最高品質の綿、バスマットには柔らかくて吸水性に優れた綿「ラグジック」、ラグマットには天然和紙繊維が用いられている。実際の布に触れながら、そこに込められた技術を知ることで価値を実感できるし、そういった経験自体を楽しめる。「デザイナーとして、布のデザインにとどまらず、布に囲まれた暮らしの豊かさ、気分、心地をデザインしていきたい」という梶原さんの思いを具現化した場であり、その思いが伝わってくる。

「私のデザインは自然と対話しながら生まれるもので、あいまいで繊細な、魂が揺さぶられるほどの感覚から湧き上がってくるもの。札幌と東京を行ったり来たりする生活を続けてきた理由もそこにあります」と梶原さん。その創造性が、日本の確かなものづくりと結びつくことで、新しい道を開いていくのだと感じた。

“100人いれば100のビームス”
自分の「好き」を追求していく

加藤忠幸 ビームス バイヤー／「SSZ」ディレクター
鈴木修司 「ビームス ジャパン」ディレクター

私が『ビームス戦略』という本をしたためたのは、もう10年以上前のこと。ビームスの社長を務める設楽洋さんの言葉で特に印象に残ったのは、「動物園のような会社であり続けたい」だった。ある分野に飛び抜けてこだわる、個性的な人材の集団を目指す。「100人いれば100のビームスがある。社員の数だけビームスがあっていい」という考えは、ファッション業界に不可欠なものと感じた。以来、折に触れてお話を聞いてきたが、この考えがぶれることはない。

個性の強い人材がそろう組織は創造力が強いし、時代の変化に柔軟に対応できる。企業がある程度の規模になるまで、このセオリーはわりと有効に機能する。半面、そういう人たちはまとまって行動したり、規範にのっとったりするのが苦手で、マネジメントが難しい。今や2000人以上を擁するビームスにおいて、〝100人いれば100のビームス〟が変わらず実践できているのか。

今回、何人かの方々とお会いし、この言葉は生きていると分かった。従来の常識や枠組みにとらわれず、自分の「好き」を追求していく。壁やハードルはあるものの、「好き」の強さが勝っているので向かっていく。しかも、そのパワーを支えているのが「他人を喜ばせること」というのも共通していた。強烈な「好き」が、「他人の喜び」として結実しているのだ。そういう人材が相当数いることが、設楽社長が言うところの「動物園」であり、ビームスらしさを形作っていると改めて感じた。

中でも、強烈な「好き」を持っている2人――自身のレーベルでZINE（ジン、個人が自主製作する冊子）を作り続けている「SSZ（エス エス ジィー）」ディレクターの加藤忠幸さんと、さまざまなものづくりを産地とともに行ってきた「ビームス ジャパン」ディレクターの鈴木修司さんを紹介したい。

届けたい人に伝わる力を持っているZINE

最初に会ったとき、加藤さんが長年にわたって作り続けてきたZINEを見せてもらったのだが、その熱量たるや半端ではない。どのページにも、はみ出すくらいの勢いで写真とイラストと文字が詰まっていて、「思いを伝えたい」というエネルギーが満ちている。しかも、それらについて説明し始めると止まらない。プロならではのセールストークというより、どうしても伝えたいという熱意を感じるのだ。打算も屈託も感じさせない、独特なキャラクターの持ち主。ZINEが徹底した手作りであることも、加藤さんの人となりを象徴しているように思える。

アパレル業界では、シーズンのテーマや商品のラインアップをカタログ仕立てにして展示会や店頭で配布する。展示会を訪れるバイヤーや店長、場合によっては濃いファンに、そのシーズンの意図を理解してもらうためだ。形式はさまざまだが、これらはあくまでそのブランドの独自性や創造性を理解してもらうことが目的だ。

いろいろな展示会を巡っていると、おしゃれな文言とスタイリッシュな写真が並んでいるだけで、何を伝えたいのかが分かりづらいものもあり、〝伝わってこない〟もどかしさを感じる。それに対して「SSZ」のZINEは万人受けするものではないのだが、バイヤーや店長、濃いファンなど、〝届けたい人に伝わる力〟を持っている。

「ＳＳＺ」はＳｕｒｆ＆Ｓｋ８ Ｚｉｎｅの略であり、ブランドとしてうたっているのは「サーフィン、スケートを通して、いま自分たちが着たい服、自分たちのスタイルを音楽やアート、メッセージとともに発信するレーベル」だ。加藤さんはそのディレクターとして、シーズンごとのテーマを決め、服やシューズなどを展開している。

ではディレクターとバイヤーはどう違うかというと、ディレクターはそのレーベル全体の方向性を決め、具体的な商品構成を組む。メーカーと一緒にオリジナル商品を作るなどの役割も担っている。一方、バイヤーは自分が担当するレーベルの商品について、何をどう品ぞろえするか、商品を選ぶ役割を担っている。加藤さんは、半年ごとに「ＳＳＺ」のテーマを立ててものづくりに取り組み、そこに込めた思いをＺＩＮＥで表現しているのだ。

服を作った背景を語り尽くしたい

ZINEを作るようになったきっかけは、米国の西海岸に出張したとき、地元のサーフショップでZINEを見つけたことだという。「本当に思っていることを本当に書いているから伝わるんだ」と感じ、出張リポートをZINEにしたそうだ。以来、自分が手掛けた商品のZINEを作り続けている。「勝手に始めたものなので、最初は自分で作ってコンビニでコピーしていましたが、コピー代が数万円もかかるようになったので会社のコピー機を使ったところ、『何やっているんだ』と叱られたこともあります（笑）」と少しやんちゃなエピソードも。「伝えたい」「作りたい」という強い意志が、加藤さんを突き動かしている。

短くない文章で字も細かく、そう読みやすくはない。それなのに引き込まれ、つい読んでしまうのは、個人としてのリアルな経験や感覚がどっしりと根を下ろしているからだろう。偏愛と言えるそのエネルギーに魅了されてしまう。

ZINEには服のことだけでなく、音楽やアート、ストリートなど、幅広いコンテンツが盛り込まれている。加藤さん個人の経験や感覚を基に、なぜその服を作ったのかを伝えるためだ。何をテーマに、どういう意図を込めて作った服か、その意味を理解して

加藤忠幸氏はセレクトショップ「ビームス」のサーフスケートのバイヤー兼「SSZ」のディレクターであり、家業である農業を営む加藤農園4代目。自然と密接したライフスタイルと、そのキャラクターとが相まって業界からもファンの多い名物バイヤー。豊富な知識と独自の視点で新しいカルチャーを築く

もらいたい一心から、手間ひまかけて作ってきた。

たとえば、2021年のテーマである「SSZ ANTHEMS」について、ZINEの冒頭には「SSZは色々なフィールドで動きながら、メイングラウンドであるストリートで勝負、自分の在り方、スタイルをぶつけて来たものだと思っている。絶対にストリーやコンセプトやカルチャーがベースにあって、挑戦する気持ちが破裂するぐらいあって前に進もうとするスタンスを大切にして来た。そんな気持ちをキープしたり、後押ししてくれたモノの1つに音楽があった」というくだりが、五線紙に手書きでびっしり書き込まれている。そこから始まり、服だけでなくカルチャーとの結びつきが微に入り細をうがつほど熱く語られることで、ものに奥行きが生まれてくる。

締めは「人を変えてくれる、世界を変える音楽をテーマに、自分が出来る、自分らしさを音楽を服でカタチにした（原文ママ）」とつづられていて、加藤さんの意思が伝わってくる。

鎌倉で生まれ育った加藤さんは学生時代、通学途上の藤沢や町田の古着店に行ったり、渋谷や原宿に出かけたりするようになった。雑誌を読み、裏原宿で古着やストリートブランドを見て歩き、当時はやっていたスケートボードのファッションにハマったという。

大学ではラグビー部に所属したが、友達から「そういうファッションをするならスケートボードやらなきゃ」と言われ、スケートボードを始めた。その後、網膜剥離になってラグビーをやめざるを得なくなり、サーフィンをやるようになったという。始めたのは遅かったが、どっぷりハマった。「滑っていて気持ちいいのに、いくらやってもうまくならない。何でできないんだろうって落ち込みながら、うまくなりたいとどんどん深みにハマっていった」という。

就職は大好きなファッションに関わる仕事をと考えた。ものづくりに興味があったのでバッグのメーカーに入ろうとも思ったが、お父さんの大反対に遭い、「ここまで育ててくれた親の意思に背くのはちょっと」と断念。それなら、大好きなビームスに入ろうと決めて入社。販売員からのスタートだった。

ビームスには、アルバイトも含めた販売員が「こんな商品があったらいい」という企画を出し、良ければ商品化するという仕組みがある。もともとものづくりが大好きな加藤さんは入社早々、企画を提案。「『ポーター』でおなじみの吉田カバンとのコラボで、ハットとベルトを作ったらいいのではと提案して通ったのが最初でした」。満面の笑みから、そのときに感じたうれしさがそのまま伝わってくる。加藤さんのピュアなエネルギーが周囲を動かしていくのだと思った。

社長に直談判の壁

ただ提案が通っても、実際のものづくりに携われるわけではない。メインの業務はあくまで販売であり、それはそれでものすごく楽しいのだが、ものづくりをしたい気持ちが徐々に高まり、フラストレーションがたまっていく。そのせいもあるのか、提案が通らなくなっていった。「会社への不満をぶつけるなど、振り返ると負の循環に陥っていたのです」(加藤さん)。

そんな折、先輩からサーフィンに誘われた。初めて一緒にサーフィンをしながら、「君の企画書はいいと思うけど、書き方を変えたほうがいい。もっと違う伝え方をしないと敵をつくるだけでもったいない」と言われ、ハッとしたという。自分の考えや意見を押し通すことに意味があるのではなく、「こういう商品があったらいい」ということを純粋に伝える。そこに照準を絞って前向きに取り組むように。すると周囲の反応も変わり、企画も受け入れられるようになっていった。

加藤さんが最もやりたかったのは、ビームスの中にサーフ&スケートショップをつくることだった。「思い立ったら即行動するタイプなので、手書きで企画書を作って社長のアポイントを取り、直談判しちゃったんです」。真っすぐ体当たりしていく姿勢が加藤さんの人となりを表しているが、組織の中では掟破り（おきて）になりかねない行動だ。社長は前向きにとらえてくれたが、社内で検討を重ねた結果、もう少し時期を待ってという結論に至った。

しかし、加藤さんは諦めず、その後も企画を出し続けた。しつこく繰り返すうち、12年に「今ショップを作るわけにはいかないが、まずはバイヤーとしてがんばってほしい」と言われ、アシスタントバイヤーになれたのだ。ようやく憧れのものづくりに携わることになった。

そして16年、ビームスのオリジナル商品として、加藤さんが全面的にディレクションを行うサーフ＆スケートブランドを立ち上げることに。翌年にはオリジナルブランド「SSZ」としてデビューし、「ビームス原宿」内に念願のショップを開くことができたのだ。「こっちが愛情を持ってやり続けていると、面白いことやっているねって見てくれる人が必ずいると思うんです」（加藤さん）。まっとうなことを、愚直にやっていく。加藤さんを支えているのは、真っすぐで純粋な力だ。

大量でないものの意味を問うてみたい

「僕は周りの評価ではなく、自分が作り上げたものへの信頼と信念でものづくりをしてきました」(加藤さん)。ファッションとは本来、ここに核心があるのでは。自分が面白い、やりたいと感じたことの独自性を信頼し、そこを伝えようと全力で形にする。その熱量が人を引き付けるのだと思う。

売れ筋を徹底的に分析し、それに沿った商品を企画し、サンプルを作って消費者調査にかけ、検証・修正したうえで発売する。そして最大公約数が求めるものを、的確なタイミングと価格で提供していく。これも正しいやり方の一つであることは間違いない。しかし、正しいからといって、全てがそうである必要はない。加藤さんのように「周りの評価ではなく、自分の作り上げたものへの信頼と信念」も大切な価値軸の一つだと思う。

「『大量でないものの意味を問うてみたい』という気持ちで続けてきました」という言葉にも共感した。均質なものをリーズナブルな価格で大量に行き渡らせることも大事だが、そうでないものの価値もある。服のさまざまなありようが業界全体を面白いものにしていくと、常日ごろ感じてきた。大量でなくても、適量を売り切ることは、これからますます大事になっていくと思うのだ。

加藤さんの意図するところは、好きなものを作って終わりでなく、買って着てもらうことで顧客に喜んでもらう。ブランドと服に共感してファンになり、また店を訪れてくれる。そんな共感の循環が起きていくところにあると思った。実際、「SSZ」には濃いファンがついていて、発売して即売り切れることもしばしば。これは、共感の循環がうまく行われているからに他ならない。ブランドと顧客の幸福な関係性がここにある。

そして加藤さんは、何と農家の4代目。ビームスに勤めるかたわら、野菜作りを営み、週に2回は市場に立って野菜を売っている。最近は企業でも副業が認められるようになってきたが、加藤さんは入社以来ずっと、ビームスと農業という二足の草鞋(わらじ)をはいてきた。「農業は自然相手で思うようにいかないこともたくさんありますが、〝自然のものとして作る〟ことが大事なのです」（加藤さん）。利益を上げることを最大の目的にした大量生産・大量消費が行き詰まりを見せている中、サステナビリティーも含めた「自然のもの」として作る。そんなファッションがあってもいい。

「うちの野菜は味にパンチがあっておいしいんです」と語る笑顔のパワーは、「SSZ」の話をするときに勝るとも劣らず。愛情いっぱいの野菜たちの味見をしたくなった。

ビームス「産地コラボ」の仕掛け人

「ビームス ジャパン」のディレクターを務める鈴木修司さんとは16年、「ニッポンの神ギフト」というプロジェクトを行ったとき、プロジェクトリーダーの佐野明政さんとともにお世話になった。「日本のギフトのあり方を見直し、未来に向けたギフトの提案を行う」というテーマのもと、ブレストを重ねて商品をそろえ、「ビームス ジャパン」でポップアップイベントを行ったのだ。

2人の発想力と行動力に随分と助けられた。「こんなものがあったら面白い。お客さんが面白がってくれる」という視点のもと、アイデアを出し合ってコンセプトを固めたのだ。

話し合った末に行き着いたのは、日本人の暮らしに「おめでたい」をもたらしてきた七福神にヒントを得て、7人の神様にちなんだギフトをそろえること。神様にあやかった縁起を大事にしながら、「ニッポンの神ギフト」と題し、モダンでめでたい商品を送るイベントを行うことに。たとえば、「恵比寿天＝商」として、ゴールドのｉＰｈｏｎｅケースやだるまを、「弁財天＝愛」として、吉原を発祥とする「新吉原」ブランドの手ぬぐいなど、それぞれの神様のいわれに基づいたギフト商品をセレクトすることにした。

何かのプロジェクトを進めていくにあたり、企業でありがちなのは、コンセプトを練る過程で理論の応酬が続き、最終的にかっこいい文言だが核心が分からない、丸い言葉が並んでいて独自性が弱いものになり、商品や売り場に落とし込むと強い訴求力がなくなってしまうこと。このプロジェクトがそうならなかったのは、現場で形にすることがゴールであると、チーム全員が理解していたからだ。ビームスには、そういう風土があって社員の行動に根づいていると感じた。

コンセプトが決まってからの鈴木さんと佐野さんの行動力はすごかった。「ちょっと無理かも」と思うこともどんどんやっていく。時間の余裕がほとんどなかったにもかかわらず、オリジナルのキャラクターをつくって販売できる商品にまで仕立てたのには驚いた。

しかも、その過程でうまくいくかどうかを心配したり、ネガティブな雰囲気を出したりすることが全くない。手間ひまかけて新しいことに挑むのを楽しんでいる。面白いことを実行していくこと、作り手と使い手を結ぶこと、創造的な工夫を凝らすのが大好きだということがよく分かった。

そんな鈴木さんが、5年間の仕事をまとめ、『ビームス ジャパン 銘品のススメ』という本を出した。バイヤーとして日本の産地を駆け巡り、「見過ごされてきたもの、本当は良いものなのに正当な評価を受けてこなかったもの、まだまだ知られていないもの」を紹介しようと、各都道府県の銘品を取り上げ、世に送り出した経緯をつづっている。

地方の人と生み出したものにまつわるストーリーを読み進めると、鈴木さんがもの以上に人とつながることを大事にしてきたと分かるのだ。

使い手の視点で作り手とものづくりをする

日本には、さまざまなものづくりの産地が点在しているが、戦後から1990年代くらいまでは欧米への憧れが強く、どちらかというと、その土地ならではのものづくりは置き去りにされてきた。それが21世紀に入ったあたりから、良さを見直そうとする動きが出てきて、クールジャパンをはじめ、日本のものづくりを国内外に向けて発信するプロジェクトがさまざまな形で進んでいる。

産地との取り組みは、その地ならではの独自性を生かしながら、伝統を守ることに固執せず、今の生活に息づくものに仕立てなければならない。参加する外部のデザイナーやディレクターは、作り手の技と思いを使い手につなぐ、いわば橋渡し役となる。

産地を取材していると、せっかく外部のデザイナーを呼んで作ったのに、売るところまで行き着かずに終わったという事例を目にすることがある。聞けば、「東京の有名なデザイナーに依頼し、言われた通りに製作してカタログまで作ったのに、売り場を開拓できなかった」「海外の展示会に出したのに、売り込み方のノウハウがないため頓挫した」という。手間とお金をかけて取り組んだプロジェクトが、送り手である産地と使い手である消費者をつなげないのはもったいないと、残念な思いを重ねてきた。

鈴木修司氏は1976年生まれ。三重県松阪市出身、鎌倉市在住。98年にビームス入社。ショップスタッフを経て、「フェニカ」のMD（マーチャンダイザー）、「ビーミング バイ ビームス」のバイヤーを担当、現在は「ビームス ジャパン」のディレクターを務める

その点、「ビームスジャパン」は売り場を持っているから、産地と作ったものを自分たちで売ることができる。産地の人たちが消費者の反応を目の当たりにできるのも強みだ。

では実際のところ、鈴木さんはどんなものづくりをしてきたのか。滋賀県甲賀市を産地とする「信楽焼たぬき」は2016年に発売し、今に至るまでロングセラーになっているもの。たまたま仕事で信楽に行ったときに、町中の店にずらりとたぬきが並んでいる光景を目にした。売れているようには見えないが、「少しだけ手を加えたらイケるかも」とピンときた。「たぬきの歴史を調べてみたら、たぬきは『た(他)をぬく(抜く)』という意味で、商売繁盛の縁起物として愛されてきたと分かり、そのストーリーも含めて人気ものにできそうと、取り組むことに決めた」と言う。

鈴木さんの仕事は、飛び込みで作り手を訪ね、「一緒にこういうものを作りませんか」と話を持ちかけるところから始まる。ビームスはポピュラーなブランドではあるものの、産地に行くと知らない人も少なくはないし、服以外のものを扱っているイメージが行き渡ってはいない。「なぜビームスがうちと?」と不信感を持たれることもあるという。「じっくり話し込んで、信用してもらわないと始まらない」と鈴木さん。

そうやって扉を開いてもらっても、「こうやったらもっと売れるのでは」という鈴木さんの言葉を受け入れ、試みてもらうところまで持っていくのは容易ではない。ただ、やってみてそれが売れると、積極的になってくるのだという。利益という分かりやすいメリットもあるが、「それより大きいのは、自分が作ったものを買ってくれる人がいるということ、使い手とつながることができた喜びにある」と鈴木さん。

信楽焼たぬきの場合はどうだったのか。「形に手を加えるのではなく、色を変えてみようと考えました」（鈴木さん）。「ビームス ジャパン」のキーカラーであり、子孫繁栄や家族隆盛を意味する橙（だいだい）色のたぬきを作ることにした。出来上がったのは、笑顔が幸せいっぱいに見えて愛らしいたぬき。昔ながらのたぬきに違いないのだが、ポップでモダンなイメージに様変わりしている。家の中に置いたら縁起が良さそうだし、ちょっと楽しい気分になる。予想以上の売れ行きで、すでに３５００体以上が売れているという。

「褒めること」の大切さ

鈴木さんが産地でものづくりするときに心がけているのは「褒めること」。何十年も続いてきたものには必ず良さがある。そこを探すところから始めるという。地方でものづくりしている人は使い手との接点がなく、自分たちの独自性をどう生かせばいいのか分かっていないことが多いという。工場や職人の仕事は、アパレルや百貨店から依頼を受けた卸業者がまとめるのが業界の常道であり、消費者との接点がなくても商売が成り立ってきたからだ。

景気がいい時代は、アパレルのMD（マーチャンダイザー）や百貨店のバイヤーが産地を訪れることが頻繁にあったが、服が売れなくなるとともにそれが減り、消費者が自分たちの作ったものをどう見ているのか、何を求めているのかが分からないのだ。

ものづくりの現場は安い労働力を求めてアジアへと移り、日本の産地は先細りになっている。何とか生き残ろうと、工場がオリジナルブランドをつくって世に送り出す、いわゆるファクトリーブランドが増えている。しかし、今の消費者のニーズに合ったものづくりができずに、撤退してしまうケースもある。

だから、鈴木さんのように、使い手である消費者の動向だけでなく送り手である産地の状況も把握し、両者をつなぐ役割は重要。しかも鈴木さんは上から目線ではなく、フラットな視点でものづくりを進めていく。だから、「作り手―ビームス―使い手」という三者の間で、ものとお金、思いの循環が生まれ、成果に結びついているのだと腑に落ちた。

アパレルのものづくりについても同じことが言える。使い手の動向を理解したうえでものづくりの現場に出かけ、工場や職人と一緒に服を作っているブランドは、コロナ禍でも成果を出している。コロナ禍をきっかけに、消費者の意識は価値ある仕事に対して利益が適切に配分され、循環していくビジネスのあり方が大事という方向に向かっている。一気に転換するのは難しい課題だが、まず小さなところからでも始める価値があると思う。

何度も通って実現した「ファミリア」とのコラボ

鈴木さんのものづくりに対する突撃力もすごい。以前、神戸をテーマにした取り組みの中で、「ファミリア」とのコラボを仕掛けたときのこと。すてきなものづくりをしている企業だけに、一緒にオリジナル商品を作れたら面白くなるに違いないと考えた。そして、他の会社と協業したことがほとんどないというファミリアに何度も通い、「一緒にものづくりをしましょう」と説得を繰り返した。

ようやくゴーサインが出て、ファミリアが独自開発したデニム風素材のトートバッグを作ることに。オリジナルを作るなら、使い手が欲しくなる楽しいものと考えた鈴木さんは、もともと上品な図柄のアップリケが施されているレッスンバッグに、東京のシンボル的な図柄を付けることを思いついた。ランドマーク的な富士山や東京スカイツリーに加え、虎や龍を加えた。先方は「そんな図柄はやったことがない」と最初は難色を示した。しかし、「絶対にお客さんが喜んでくれるはず」と説得した。

ファミリアは上質なものづくりにこだわってきた企業だ。アップリケひとつにも惜しみない手間ひまをかけるのでたくさんは作れないし、価格もそれなりになる。50個作るのが精いっぱいで価格は2万8000円と決まった。ところが店頭に出したところ早々に完売。追加生産をかけるというれしい結果に。ファミリアも喜んでくれ、以来、コラボ企画を続けているという。

持ち前の突撃力で成功ばかりを続けてきたのかと思ったら、そうではない。「門前払いで終わることも山のようにあるんです」（鈴木さん）。外から見ていると形になったものしか見えないが、その裏には思うようにならなかった事例が山のようにあるという。それでも前に進み続けた軌跡が、鈴木さんの今をつくっている。

手応えが自信につながり、それがエネルギーに

鈴木さんが高校から大学にかけて通っていた店の一つがビームスで、商品のテイストや店の雰囲気、店員に憧れて入社したという。入社当初からの「いつかはバイヤーに」という願いがかない、今は「ビームス ジャパン」が手掛ける産地とのものづくり全体のディレクションを担うようになった。もともとやりたかった仕事の間口が広がり、手応えを得ることで、「さらにもっと」という自信や欲が湧き、それがエネルギーになっているという。

ここ数年は自治体から依頼される仕事が増え、1年の半分くらいを地方出張に費やし

てきた。コロナ禍で出張できなくなり、「今までの仕事を書き留めることで、作り手と使い手をつなぐ助けになるのではと文章を書き始めた」（鈴木さん）。47都道府県それぞれのエピソードをつづる仕事は容易ではなかったという。しかし、本となって流通することで、商品だけにとどまらない形で、地域や作り手のキャラクターや思いを伝えることができる。

もちろん、鈴木さんがこの仕事にかけている情熱も――楽しそうに語る鈴木さんの笑顔が頼もしい。

大丸松坂屋百貨店が「高級ファッションサブスク」を始めた理由

田端竜也　大丸松坂屋百貨店　アナザーアドレス事業責任者

2021年3月、大丸松坂屋百貨店がサブスクリプション（継続課金、以下サブスク）型サービス「アナザーアドレス」を始めた。月額1万1880円（税込み）で、約50ブランド（スタート時）の中から毎月好きな3着をレンタルできる。LINEでやり取りし、選んだ服は自宅に配送される。着てみて気に入ったら購入も可能という仕組み。初年度は1年間で会員1000人（登録会員は5000人）、5年間で会員3万人、6年目で売り上げ55億～60億円を目指すという。

どんなブランドがそろっているのか見てみると、「マルニ」「メゾン マルジェラ」「シーバイクロエ」もあるし、「セオリー」「セルフォード」「ラコステ」なども。海外のラグジュアリーブランドから国内ブランドまで幅広い品ぞろえだ。

正直言って、大丸松坂屋百貨店については、東京や大阪・神戸の大丸、名古屋の松坂屋を訪れたことはあるが、老舗百貨店というイメージ以上の知識を持っていなかった。だから、サブスクを始めると聞いて、新鮮な驚きがあったのだ。ここ数年、百貨店のニュースといえば、地方の閉店や売り上げの前年割れなど、ネガティブなものが目に付く。それだけに、新しい領域に挑戦するこのニュースは、百貨店好きの一人としてうれしく感じた。

どのような背景と経緯を経て、このプロジェクトが進められたのか。実際にスタートしてみて反応はどうだったのか。そしてこれからの百貨店事業にどのように生かそうとしているのか。事業責任者を務める田端竜也さんに話を聞いた。

「ハマったら突き詰める」性格がファッションに向かう

黒いニットジャケットに細身のパンツ姿で現れた田端さんは、百貨店の男性社員にわりと多く見られるパリッとしたスーツ姿ではない。かといって、ファッションオタク的な雰囲気でもない。自らの情熱を強烈に発信するというより、冷静に言葉を紡いでいくタイプだ。33歳と聞いて、随分と落ち着いていると驚いた。しかし、「アナザーアドレス」の話題になると、言葉に熱が加わって冗舌になっていく。新しいプロジェクトを立ち上げ、動かしている人が持っている、内から湧いてくるエネルギーのような自信が感じ取れる。

聞けば、東京海洋大学で細胞生理学を学んだという。今の仕事とかけ離れた世界で学び、なぜ百貨店でファッションビジネスに携わるようになったのか。

理路整然とした話しぶりから、さぞや勉強ができたのだろうと踏み込んでみたら、「学校の決められた勉強はあまり好きじゃなくて、その時々でいろいろなことに夢中になってばかり。わりと飽きっぽいので長続きしない。何かを究めるというタイプじゃない」と謙遜気味の答えが返ってきた。部活はラグビー、野球、合唱、趣味はカードゲーム、囲碁、釣りなど幅広く、ハマるとのめり込むし、多くはそれなりのレベルに達するものの、道を究めるに至らなかったという。好奇心が強くてミーハー気質、そしてハマったら突き詰める――ファッションの領域で新しいことを切り開くのに向いていると感じた。

お父さんが釣り好きだったので、幼い頃から魚は身近な存在、大学受験時に生物が得意で釣りやアクアリウムにハマっていたから、大学に進むにあたって「魚類の研究をしてみたい」と思ったという。東京海洋大学に進学したものの、「周りは魚大好き人間ばかり、僕はそこまで好きになれない」と、ゼミは細胞生理学を選んだ。大学3年生のとき、中国で一人旅をしたり、派遣研究員として米国に行ったりと、異国の地で過ごした経験

田端竜也氏は2011年に大丸松坂屋百貨店（J.フロントリテイリング）に入社。大丸札幌店で売り場運営に従事した後、14年よりJ.フロントリテイリングのIT新規事業開発室へ。以降、一貫してIT、スタートアップ周辺の新規事業案件に携わる。16年からはグループのオープンイノベーション推進者としてスタートアップ投資ならびに事業開発に従事。現在は「アナザーアドレス」の事業責任者として事業の拡大を推進

で多くの刺激を受けたという。

ファッションへの興味は、高校時代から始まった。米国のロックバンド「ニルヴァーナ」のファンになったのをきっかけにファッション誌を見たり、ブティックを巡ったりするようになった。当時は〝裏原系〟ブランドが脚光を浴びていて、名古屋にあるブティックまで出かけ、行列に並んで買っていたという。

裏原系とは「グッドイナフ」「ア・ベイシング・エイプ」「ノーウェア」といった1990年代中盤に人気を集めたブランドショップで、原宿の裏手にあることから裏原（ウラハラ）系と呼ばれるようになった。カルチャーと結びついたマニアックなこだわりが魅力となり、ストリート発のファッションとして大きな影響力を持った。田端さんはこの時代に高校生活を送ったのだ。

一方、その頃から商いへの興味も持っていた。当時はITバブルでオークションサイトが出てきた時期。趣味の一つだった釣り具に加え、服を売ることもあった。予想以上に高値で売れるものもあり、メールでのやり取りや値下げ交渉などを通じて「商いって面白い」と感じていたという。

新規事業開発プロジェクトからシリコンバレーへ

就職活動では、「どうしてもこれ」という希望があったわけではない。ただ、消費者に近いマーケティング的なビジネスや事業開発に関心があった。大好きなファッションを扱っていることもあり、大丸松坂屋百貨店を傘下に持つＪ．フロントリテイリング（ＪＦＲ）に入ることにした。

百貨店の仕事をゼロから学びながら、「経営学を体系的に学びたい」と思い、社内の制度を使って明治大学の大学院で２年間学び、ＭＢＡ（経営学修士）を取った。ホールディングス（持ち株会社）での事業企画の業務を続けながらの学校通いはハードだったが、「経営を学ぶことが楽しかった」（田端さん）。興味を持った領域を掘り下げていくのをいとわないこの姿勢は、幼い頃からの「ハマったら突き詰める」に通じるものがある。

その後さらに２年間、社内を説得してマレーシアの工科大学で経営管理工学、特にビッグデータの統計解析について学んだ。これからの経営やマーケティングを考えると、ＩＴ領域、特にデータや統計学を習得しておかなければという強い意志が働いてのことだった。

一方、Ｊ．フロントリテイリングのマネジメント層は「従来の小売りビジネスを継続するだけでは、いずれ行き詰まる。何か新規事業を立ち上げなくては」という問題意識を持っていた。そして、そのための特別編成部署をつくることに。田端さんはそこに配属され、オープンイノベーションを推進する立場となる。

社内にとどまらない新規事業に生かす材料と発想を得るため、社員をシリコンバレーに派遣してデジタルビジネスをはじめとするスタートアップの潮流を勉強させ、情報収集するとともに、出資を通じて連携を模索することになった。「その領域を社内でやれるのは自分しかいない」と田端さんはいち早く手を挙げたが、最初はかなわなかったという。諦めずに再度希望を出し、2018年にシリコンバレーへ行ったのだ。約1年半にわたって、米国と日本を行ったり来たりしながら会社への提案を続けた。

最も刺激を受けたのは、シリコンバレーのスタートアップに携わっている人たちが本気で「Change the World」、つまり「自分が世界を変えられる、変えてやる」と思って動いていることだった。「スタートアップの人たちは自分がやると決めたことは死ぬ気でやり遂げるという強い意志を持っている。しかも、そうしないと生きられないくらいのエネルギーにあふれているのを羨ましいと感じた。スタートアップの持っているユニークな発想を基に、自分で百貨店の新しいビジネスを築いてみたいと思った」と田端さん。だが、それなりの規模の組織が新規事業を立ち上げるのは、そう簡単なことではなかった。

最初は通らなかったサブスクビジネスの提案

シリコンバレーでは、スタートアップの「レント・ザ・ランウェイ」や「ル・トート」など、アパレルのサブスクが勢いを得て成長していた。日本でも、ラグジュアリーブランドのバッグのサブスク「ラクサス」や、ウエアを中心とした「エアークローゼット」などが登場していたが、小売業からサブスクサービスへ参入している企業は皆無だった。

「ル・トート」に出資して日本での事業展開を模索するものの、経営陣から「そもそも小売業がアパレルのレンタルをするのはいかがなものか」「『売る』と『貸す』の両方を百貨店が手掛けることはできないのでは」といった異論が噴出し、なかなか前に進まない。小売業とサブスクは相反するビジネスだととらえる向きが少なくなかったという。

通常の百貨店ビジネスでは、「消化仕入れ」と呼ばれる取引が行われている。これは、店頭に置いてある商品について、売れた分だけの卸値を百貨店が取引先に支払い、売れ残った商品は返品するというものだ。一方、「買い取り」は百貨店が商品を全て買い取るため、売れ残ったら百貨店が在庫として抱えることになる。大きくはこの2つの取引形態があるが、全体から見ると、「消化仕入れ」が主流で、「買い取り」は少数派だ。

大丸松坂屋百貨店がサブスクを始めるにあたり、ブランドとの取引形態をどうしたのか。サブスクは購入ではなく「リユース」「レンタル」というところに価値がある。それが消化仕入れという枠組みでは難しい。誰かが着た服を返品するわけにいかないからだ。かといって、買い取りにして利益を出せるビジネスにできるのか。在庫ビジネスの経験が少なくなった百貨店では無理なのではという慎重論が勝り、国内での展開を断念する形となる。

「正直言って新規事業なのに百貨店という固定観念が障壁となっているのが残念でした」と田端さんは当時を振り返る。そこで感じた「新規事業の壁」とは何だったのか。会社の課題であるとともに、自分自身の課題でもあった。

1つ目は、テーマが絞り切れていなかったこと。新規事業の新規とは何を指すかが明快になっていなかった。それが事業の進行の妨げになっていると感じたのだ。目指すべきは小売業のビジネスモデルを変革する可能性を探ることであり、それが「やはりサブスクを突き詰めてみたい」という強い意志につながっていった。

2つ目は、企画と実行が分離されていること。新しいことを始めるにあたって、大きな組織では企画チームが考えたものを別のチームが実行していくケースが少なくない。

しかし、新規事業は見た目こそ華やかでも、トラブルが日常茶飯事。スタートアップの経営者が信念でその危機を乗り越えていくのを間近で見て、「思いのある人がやり遂げるところに意味がある。そこは一気通貫で行わないと成功しない」と実感。サブスクサービスが実行されるとなったら、その事業責任者として不退転の覚悟で形にしたいと思った。

3つ目は、新規事業チームの組織的な位置づけ。複数の部署から選抜されたメンバーで構成された組織だったので、意思決定はそれぞれの上長の了解をとってから上申する手順を取っていた。そのため、なかなか前に進まないうえに、事業への思いが丸くなってしまう。加えて致命的だったのが、新しいシステムを既存のシステムにつなぐことで、膨大なコストと時間を発生させていたこと。「成功させるには、独立した意思決定ができる社内ベンチャー型経営と、新システムの分離が必須」と強く感じたという。そう語る口調にわだかまりはないものの、悔しかったという思いは伝わってくる。

百貨店ビジネスとサブスクビジネスは高め合える存在に

「百貨店ビジネスと食い合いするのでは」と懸念されたサブスクだが、両者の違いはどこにあるのだろうか。

まず使い手にとってサブスクは〝定額で服を借りて着られる〟という使用権を得ること、つまり「使用」に重きが置かれている。対して購入は、自分のものにする「所有」に重きが置かれている。サブスクが伸びている背景には、消費者の意識が「所有」から「使用」へ移っているという大きな流れが作用している。

当初、サブスクが社内の決裁を得られなかったのは、「所有」から「使用」、言い換えれば「買う」から「借りる」という消費者の意識の変化を、百貨店がビジネスにするのは難しいという判断が働いていた。

田端さんは諦めることなく、賛同してくれた上司と話し合いを続けた。「幸いなことに、上との距離が近い社風なんです」と田端さん。中でも当初から理解してくれていたのが、現在は大丸松坂屋百貨店の社長を務める澤田太郎さんだという。

「シリコンバレーを視察した際、レント・ザ・ランウェイが百貨店のニーマン・マーカスの中にリアル店舗を構えているのを目の当たりにし、サブスクに可能性を感じた」と澤田さん。百貨店ビジネスとサブスクというシェアリングビジネスは敵対関係にあるのでなく、相乗効果が見込めると、確信のようなものを抱いたという。

サブスクであれば高額なラグジュアリーブランドも手ごろな価格で利用でき、購入だとハードルが高いと感じる人も気軽に着てみることができる。お試しの機会になり得るし、そこで気に入れば購入に至ったり、ブランドのファンになったりし、顧客とつながることができる。「百貨店は服を購入することだけが目的ではなく、一つのメディアになるべきだと思ったのです」（澤田さん）。

サブスクは会員制であることから、送り手である企業と使い手である消費者との間に継続的な関係性が生まれる。売って終わりではないのだ。企業にとっても、ストック型の収益モデルであり、デジタルネイティブなビジネスモデルは事業ポートフォリオの分散にも適している。さらに、「どんな服がレンタルされ、どう使われ、評価されたのかといった利用動向や顧客満足はもとより、サービスを送る側として、その服はどれくらいの利用やクリーニングに耐えられるのかといったデータを取ることもできるのです」（田端さん）。「データを蓄積していける点も、このビジネスの価値の一つであり、百貨店ビジネスに生かせると考えた」と澤田さん。

加えてサブスクは「リユース」や「シェアリング」という考えを背景に生まれてきたビジネスで、大量生産・大量消費・大量廃棄というファッション業界が抱えている環境課題に向き合っていく好機にもなり得る。

ことが動きだしたのは19年のことだった。「JFRグループの新規事業としてサブスクを始めようと、田端に事業プランを出すよう指示したのです」（澤田さん）。

ブランドとの交渉で効いた百貨店という信用

田端さんは、「ようやくやれるところに行き着いた」と勢い込み、早速、事業プランを作成した。だが、即ゴーサインが出たわけではなかった。「本当にこれを実行するには、取引先ブランドが引き受けてくれるかどうかがカギになる。メインと思うブランドと交渉してOKが取れたら前に進める」という指示を受けたのだ。

早速、田端さんはブランドとの交渉を始めた。最初に当たったのは「マルニ」と「メゾン マルジェラ」だ。もちろん、今までサブスクに登場していないブランドだが、双方ともサービスの背景や込めた思いに賛同し、参加してくれることに。イメージを大事にするこれらのブランドが、他のブランドと横並びになり、定額で借りられるサブスクになぜ参加したのか。

声をかけてきたのが、過去から取引があって信用の置ける百貨店だったことがよい方向に働いた。「扱う商品は全て買い取りで、リスクは全て我々が負うという条件が提示できたし、何より長年の取引関係によって、先方の経営陣の方々に思いを直接話す機会がつくれたのがありがたかった」と田端さん。

一方で、打診したものの断られたブランドも。コンセプトや考えには共感するものの、ビジネスの全容がまだ見えていないので、実績が出てきたらそのときに参加するという返答だった。要はリユースやシェアリングを切り口とした新しいビジネスに興味はあるものの、前例がないので様子見をしたいということだ。

取引先ブランドのめどを立てた田端さんが再度事業プランを出し、ゴーサインが出たのは20年春。そこからは社長に就任した澤田さんのもと、百貨店に組織を移管し、田端さんともう一人が中心となり、社長直轄プロジェクトとして進めた。「顧客との関わりや商品調達、在庫管理などの業務を独立してやったほうが、迅速かつ臨機応変に対応できる」という澤田さんの判断により、既存の商品部や営業部の仕組みに組み込むのではなく、独立した社内ベンチャー型の組織としてやっていくことになったのだ。

これを聞いたとき、ある百貨店のEC部隊が、商品調達から在庫管理までを既存の組織の中に組み込んで実施しようとしたところ、障壁が多くて時間がかかったという話を思い出した。このプロジェクトはその轍（てつ）を踏まなかったということだ。

田端さんが以前から抱いていた、企画と実行の分離、組織の中の位置づけについての課題も、ここで解決されたのだ。

着ていきたい場が想定されている

21年3月、1年間でサービスの全てを整備し、いざ蓋を開けると予想以上の反響があった。もともと初年度は1000人と予定していた会員枠を超えるニーズがあり、サービス告知から3日で3500人を超える申し込みが殺到。利用に対しても、退会率が1%以下、有料会員の平均CVR（サブスク利用率）が30%を超えたのも予想以上の成果だった。

スタートして3カ月ほどたった頃、経過を検証しようということから、ヒアリング調査を行った。何を求めて「アナザーアドレス」を利用しているのか、どんな満足点と不満点があるのかなどをとらえるのが目的だったが、対象者の約7割から答えが返ってきたという。サービスの不満を超えるほどの応援メッセージがあり、「関心を持っていただいている、確かなマーケットがあるとうれしい気持ちになりました」と田端さん。

同時に、実際に利用されている姿も浮かび上がってきた。「気になっていたブランドだけど、若い人を対象にしているので店に入りづらかった。アナザーアドレスで着てみたら、思ったよりクオリティーもデザインもいいので、今度、ショップに行ってみようと思う」「高くて買うとなると少し怖気づいていたブランドを、実際に着ることができてうれしかった」など。

澤田さんと田端さんが想定したように、サブスクを入門編として、将来的にはそのブランドや百貨店の顧客となる可能性が見えてきたのだ。

一方、改善点も挙がってきた。「ブランドのバリエーションを増やしてほしい」「レンタル中の服の予約機能を付けてほしい」など。「うちの子どもが通っている学校は、行事が多いうえにドレスコードがいろいろとあり、全てを購入する余裕がなくて困っていた。このサブスクは助かる」といったように、新たなニーズが見えるものもあった。

また、服を着る動機について、「新しい季節に入って流行を取り入れたい」というより、ちょっとした旅行や会食、人との集まりなど、「着ていきたい場が想定されている」傾向が強いことが分かったのも大きな収穫だった。

サブスクは継続的な利用者となってもらうことが大事であり、こういった不満点をどう改善していけるかは重要なポイントだ。

ファッションの楽しさをもっと多くの人に

スタートして半年以上が経過し、やっていくこと、やらねばならないことは山積みだ。だが、短期で成果を出せと言われてもなかなか難しいところ。5年後に単体で黒字化する事業計画になっているが、「独立した事業管理や意思決定を容認してもらえる分、23年8月の段階で厳密なKPI（重要業績評価指標）による中間評価が設定されています。いずれは独立した会社になり、より大きく事業の幅を広げていきたい」と田端さん。絶対に達成するという意志が込められた言葉でもあった。

強気の発言の裏には、シリコンバレーで見聞きした「スタートアップの人たちは、自分がやると決めたことは死ぬ気で働いてでもやり遂げる」という熱意に感じ入った経験が働いているのだろう。

田端さんにとっての「死ぬ気で働いてでもやり遂げる」とは何なのか。根っこにあるのは、「バブル以前のように多くの人が自由なファッションを身にまとう機会をつくること。ファッション好きだけではなく、もっと多くの人にファッションの楽しさを認識してもらいたい」ということだ。

「いずれは路面でリアル店舗を構えることも考えています」と田端さん。それは「アナザーアドレス」のファンがリアルでファッションサブスクを楽しめる場であり、同じ価値観を持った人が集えるコミュニティーのような場にもなる。一つのブランドとして認知され、世界観を持ったコミュニティーになっていくために、「アナザーアドレス」のリアル店舗が必要という考えはよく分かる。澤田さんも「お客様の手応えが明快になっていけば、百貨店という小売りメディアの一角を担う可能性はあると思う」と期待を寄せていた。

加えて「アナザーアドレスに限らず、これから百貨店が生き残っていくためには、トライアル＆エラーを重ねてもいいと思っている。若い人は失敗を恐れずチャレンジしてほしいし、判断したからには腹を括る用意はある」と頼もしい一言もあった。

「アナザーアドレス」はコロナ禍を契機にスタートしたものではなく、以前から進められてきたもの。一直線に進んできたわけでなく、紆余曲折を経て今という時期に生まれ出た。そこには「どうしてもやりたい」という現場の強い意志と、全体を俯瞰し、判断と責任を明快にするトップマネジメントの関わりがあった。

百貨店に限らず、歴史ある組織やブランドは、新しい時代に向けた変化を余儀なくされている。変化をいとわず、まずは小さくても独自性のあることを始めてみる。そこから未来に向けた道が開けていくのではないか。大好きな百貨店にも明るい兆しがあると、うれしくなった。

特別対談

設楽洋社長に聞く ビームスの原点とこれから

ビームスが原宿で産声を上げたのは1976年のこと。以来、ファッションの先導役として、確固とした地位を築いてきた。その歴史は、アパレル業界の成長・進化と軌を一にしてきたと言っても過言ではない。

社長を務める設楽洋さんはお会いするたび、未来に向けた面白い視点を示唆してくれる方。そんな設楽さんに、ビームスの原点とこれからを聞いてみた。

米国のライフスタイルへの憧れがきっかけ

川島蓉子（以下、川島） ビームスの活動を見ていると、「ネットフリックス」とのコラボレーションや、さまざまな産地との取り組みなど、相変わらず多彩です。元気の源はどこにあるのでしょうか。

ビームス設楽洋社長（以下、設楽） ビームスは「アメリカンライフショップビームス」と

ビームス社長の設楽洋氏。1951年、東京都生まれ。75年に慶應義塾大学を卒業後、電通に入社。76年にビームスの設立に参加し、原宿に1号店をオープン。83年に専務、88年に社長就任

掲げ、原宿で始めたお店です。僕自身、カルチャーからファッションに目覚めたこともあり、時代とカルチャーの関わりをファッションで表現しようとやってきたところがあります。時代の先を見てみたいという強烈な欲求があるし、それがエネルギーの源になっているのです。

川島　小さい頃からおしゃれ好きだったのですか。

設楽　小さい頃は、母が僕の服を作ってくれていました。中学生のときにバンドをつくり、音楽からファッションにハマったのです。そして大学生になり、米軍キャンプのバザーに行って、米国への憧れが強まりました。ファッションはもとより、おしゃれな家電や家具、自動車などがある暮らしに魅せられたのです。

川島　当時はファッションが趣味といった感じだったのですか。

設楽　もともとミーハーだから、音楽、スポーツ、アートなど、何にでも首を突っ込んで楽しんでいました。どれも一定のレベルにはいくのですが、1等賞になるほどの力量がない。だから一芸に秀でた人に対する憧れが強くあって、そういう人と関わる仕事がしたいと考えていました。

川島　最初は電通に就職されたんですよね。

設楽　さまざまな分野のクリエイターと仕事がしたくて、就職は広告代理店を選んだのです。電通ではイベントプロデューサーとしてさまざまな面白い仕事に関わり、良い経験を積むことができました。一方、家業（段ボールなど輸送用パッケージのメーカー）がオイルショックで構造不況業種になり、多角化の一つとして小売りビジネスをやってみようとなった。それで、米国西海岸のものを売ってみることにしたのです。スニーカーやチノパンといった衣料品に加え、スケートボードやロウソク立てなども買いつけてきて始めたのがビームス。当初僕は、二足の草鞋をはいて仕事をしていました。

川島　ファッション誌が次々に創刊されている時期で、ビームスは「ポパイ」とタッグを組んでいましたね。

設楽　スタートがほぼ同時だったこともあり、「ポパイ」とは何かと一緒に仕掛けていました。「時代の変化に立ち会っていく感覚」が面白かったし、僕はずっとそれを追い続けている気がします。

「紺ブレ」ブームで大失敗

川島　スタート時から順風満帆に成長してきたように見えるのですが、設楽さんは失敗したり悩んだりってこと、あったのですか。

設楽　たくさんありますよ（笑）。70年代後半のプレッピーブームのとき、ロゴ入りトレーナーが大人気になったことがあって、ブームが過熱する前にと思い切ってやめました。

しかし、そんな経験があったにもかかわらず、89年に大爆発した渋カジの紺ブレブームではどんどん作ってしまい、結果的に大きな在庫を残してしまった。そんなこともありました。

川島　売れているものをやめる判断は難しいと思いますが、どうやって決めるのですか。

設楽　投入時期と引き揚げ時期の設定はとても大事で、定量的な軸だけでなく、感性的な軸でとらえる必要があります。世の中に行き渡ってきて、そろそろマスの裾野に届きそうという直前でやめる。過去の経験や知恵も含めた「勘」が試されるところです。

川島　そういう勘は、ファッションにおいて欠かせないと思います。

設楽　時代をとらえるのに勘は大事な要素です。この仕事の醍醐味は「時代が変わる瞬間に立ち会える」ことにありますし、そのためにミーハーであることは欠かせない。お客様から「何か面白いことをやっている、やってくれそう」という期待感を持ってもらうことを大切にしてきました。

自分は動物園の園長だと思っている

川島　ビームスの方々と接していて、変わっていて面白い、ミーハーだけど突き抜けている、と感じることは少なくありません。でもそういう人たちを組織として束ねていくのは大変そうです。

設楽　僕は自分を動物園の園長だと思っています（笑）。ビームスが「Happy Life Solution Company」と掲げてきたのも、ここで働く人、ここに関わる人が幸せになるような会社にしたいと思ってのこと。それぞれの時代の瞬間で自分がワクワクしていたいし、それを伝えたい。ビームスは、そういう人の集団＝コミュニティーであってほしいと思うのです。

川島　アパレルを主軸にしていますが、ビームスが手掛けているのは随分と幅広い分野に及んでいます。

設楽　アパレルだけでなく、いわゆるライフスタイルに及ぶこと全般。それが、僕が考えるファッションでもあります。

川島　ファッションというと、アパレルと狭義でとらえられることも多いのですが、ビームスは1号店ですでにアメリカンライフショップビームスと、「ライフスタイル」をうたっていた。それを貫いていくということですね。ここで改めて、広義のファッションの良さはどこにあるかを教えていただけますか。

設楽　ファッションとは日常の暮らしを彩るあらゆるツールであり、人がこだわる要素を内在しているといっていいのではないでしょうか。

川島　コロナ禍で料理や器にこだわったりインテリアを見直したりなど、日常の暮らしを取り巻くものに目がいくようになり、そこに豊かさを感じる人が増えた気がします。

設楽　一方、ファッションはコミュニケーションのツールになることも忘れてはならないと思います。

川島　コミュニケーションのツールとはどういうことでしょうか。

設楽　ギフトが他人に気持ちを伝えるツールであるように、服はそもそも着ることによって自分を表現し、相手に伝えるコミュニケーションの役割も果たすものなのです。

「オペレーション機能を持った企画集団」へ

川島　ビームスは物販という枠組みにとどまることなく、エンターテインメントや地域の活性化など、幅広い領域で活動しています。

設楽　ビームスが持つノウハウで他に生かせることは何でもやってみようと考え、前に進めてきました。取り組み先と一緒に新しい発想のもと、形にしていくビジネスです。

川島　いわゆるコンサルティング会社や企画会社とビームスには、どんな違いがあるのでしょうか。

設楽　うちは「オペレーション機能を持った企画集団」というふうにとらえているのです。何よりの強みは「店」という現場を持っていること。企画コンサルをやって終わりではなく、店という現場で発表して売ることができる。「旬に敏感なうちの顧客の反応を目の当たりにできる」のは一つの独自性と見ているのです。

川島 今やビームスは2000人以上もの社員を擁する企業になっていますが、上場を考えたことはなかったのですか。

設楽 一瞬、考えたことはありました。それなりの規模のものをやるにあたり、上場という手もあると思ったのです。一方で、思うようにできないことも出てきます。たとえば次の時代のネタになることって、すぐに成果が出るものばかりではない。中長期的な視点でやっていかなければならないこともあるわけですが、上場すると、そのあたりは難しいところ。それで結局は、上場しない道を選んできました。

川島 これからの時代に向け、今力を入れているのはどんなことですか。

設楽 時代の枠組みが大きく変わろうとしていて、今までのやり方が通用しなくなってきている。そんな中、SDGs（持続可能な開発目標）には積極的に関わり、攻めていこうと考えています。

川島 大きな課題ですが、どんなところから取り組んでいるのですか。

設楽 非常に大切な問題ととらえているので、コストも労力もそれなりにかけていこうと思います。さまざまなところとコラボし、商品や売り場、イベントなど、幅広い活動を広げていく予定です。さらに自らの企業もそうあらねばということで、ビニールのシヨッパー（買い物袋）はやめ、オフィスでお客様にお出ししている水の容器もオリジナルの紙パックを開発したのです。

川島　大きなテーマですが、本気の姿勢がよく分かりました。最後に一つ。どこのアパレルも苦しい状況が続いていると耳にします。設楽さんはいつも笑顔というイメージがありますが、へこたれることはないのですか。

設楽　あります、あります（笑）！　厳しいときだからこそ、前に向かって進んでいく。どうせ行くなら、楽しいほうがいいに決まっていると思うのです。

川島　そういうときは、どうやってしのぐのですか。

設楽　昔から「1分間瞑想」の訓練をしていて、それを瞬時にやることを癖にしています。もう一つは、自分でつくったおまじないのような言葉があって、それを口に出して言ってみることにしているのです。

川島　どういう言葉なのですか。

設楽　あまり言いたくないのですが（笑）。「Do my best. Let's go！」。頭文字をとって「ドゥマベ！」。これが僕のおまじないです。

川島　素敵な文言で、聞いているだけで元気になるような気がしてきました。今日は明るい未来のお話をありがとうございました。

おわりに

私がアパレル業界に入ったのは、幼い頃から服が好きだったからです。それも、おしゃれ好きというだけで、特別な才があったわけではありません。好きで憧れていただけなのです。大学を選ぶときも、就職のときも、周囲は大反対だったのに、どうしてもファッションに触れていたくて、伊藤忠ファッションシステムという会社に入りました。

憧れのファッション業界に入れたと、ワクワクして仕事を始めたのですが、悩みや迷いの連続でした。思ったように仕事ができない自分への歯がゆさがあったり、外から見ていた業界と現実とのギャップに直面してもがいたり。

ただファッションという存在に、それを上回る魅力があったのは確かです。だから、会社員と物書きという二足の草鞋をはきながら、結婚しても子どもが生まれても仕事を続けてきました。

ファッションの魅力とは何なのでしょうか。一つは時代の動きをとらえ、服という形で具体化させること。時代を映し出す鏡として、ファッションが機能するところがあると思うのです。他の業界の経営者やクリエイターと話していて、ファッション業界に興味津々という声をよく聞くのですが、この領域におけるファッションの役割への期待を感じます。

もう一つ、身体にまとうファッションには、見た人や着た人の気分を高揚させる力があります。全てのアパレルがそうである必要はありませんが、その価値を置き去りにしてはいけないと思うのです。

ここ10年近く、業界内外で、ファッションに対するネガティブな声を聞くようになりました。「客観的な見方として耳を傾けるべき」というケースもあれば、「そこまでネガティブにとらえなくてもいいのでは」というケースもあると感じます。

そんな折、ある若手のファッションデザイナーと話していて、「業界の先輩たちにもっとしっかりしてほしい」と言われ、ドキッとさせられたのです。

自分の仕事も含め、新しい道を切り開くには、破天荒なくらいの「好き」や「やんちゃさ」があっていいし、もともとファッションは、そういうところから始まっていた。私の周りにも、自分の「好き」や「やんちゃさ」を存分に発揮し、前に進んでいる人たちが少なくないと思い至りました。

そして、物事を伝える役割を担っている身として、ネガティブなことに向き合うと共に、ポジティブな動きも取り上げる。長年にわたって業界にお世話になってきただけに、そこを書いてみようと思ったのです。

ポジティブに前に進んでいる「変革者」たちの取材では、大きく心動かされるものがありました。新しいことに果敢に挑む人は、無理解だった周囲を巻き込んでいく意志や、常識の枠組みを越えていく行動力に満ちている。

多少の壁があっても、「好き」や「愛」があるから、とんでもないエネルギーを発揮して乗り越えていく。その姿には潔さや清々しさがあり、この業界の原点はここにあると思ったのです。取材に快く応じてくださった方々にエールを送るとともに、この場を借りて深く感謝したいと思います。

また、本書は日経クロストレンドの連載をもとに、編集者の山下奉仁さんと一緒に作り上げたものです。お世話になり、ありがとうございました。

2021年11月　川島蓉子

川島蓉子 *Yoko Kawashima*

ジャーナリスト

1961年、新潟市生まれ。早稲田大学商学部卒業、文化服装学院マーチャンダイジング科修了。伊藤忠ファッションシステムに入社し、ファッションという視点から、企業や商品のブランドづくりに携わる。同社取締役、ifs未来研究所所長などを歴任し、2021年に退社。コミュニティー「偏愛百貨店」を立ち上げた。『ビームス戦略』(PHP研究所)、『伊勢丹な人々』(日本経済新聞出版)、『虎屋ブランド物語』(東洋経済新報社)、『TSUTAYAの謎』『すいません、ほぼ日の経営。』(以上、日経 BP)など、著書は30冊を超える。毎朝3時に起きて原稿をつづる生活を30年にわたって続けている。

日経クロストレンド

「新市場を創る人のデジタル戦略メディア」をコンセプトとして2018年4月に創刊した会員制有料オンラインメディア。「デジタルで変わる企業と消費者の関係」を徹底的に取材し、マーケティング戦略立案の指針になる事例、データ活用、消費トレンド情報を提供している。
https://xtrend.nikkei.com/

アパレルに未来はある

2021年12月13日　第1版第1刷発行

著　者	川島 蓉子
発行者	杉本 昭彦
発　行	日経BP
発　売	日経BPマーケティング 〒105-8308 東京都港区虎ノ門4-3-12
装丁、本文デザイン	エステム
印刷・製本	大日本印刷
編集	山下 奉仁(日経クロストレンド)

ISBN　978-4-296-11140-4

本書の一部は「日経クロストレンド」掲載の内容を再編集、再構成したものです。